# A-Z BARNET &

G000026152

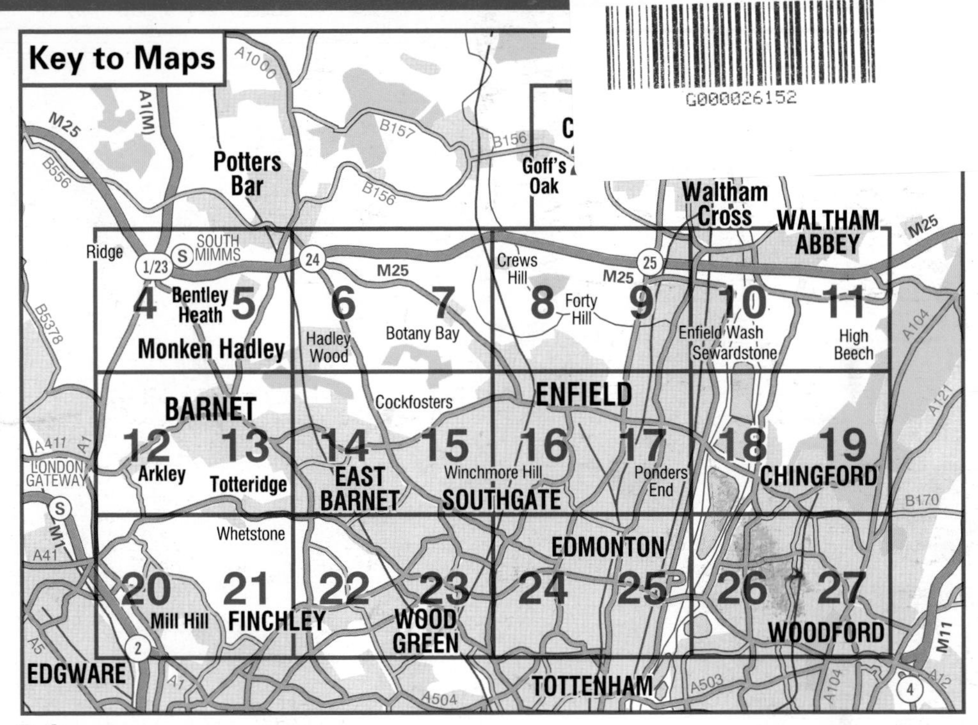
Key to Maps
Potters Bar
Goff's Oak
Waltham Cross
WALTHAM ABBEY
Ridge
SOUTH MIMMS
Bentley Heath
Monken Hadley
Hadley Wood
Botany Bay
Crews Hill
Forty Hill
Enfield Wash
Sewardstone
High Beech
BARNET
ENFIELD
Cockfosters
Arkley
Totteridge
EAST BARNET
Winchmore Hill
SOUTHGATE
Ponders End
CHINGFORD
LONDON GATEWAY
Whetstone
EDMONTON
Mill Hill
FINCHLEY
WOOD GREEN
WOODFORD
EDGWARE
TOTTENHAM
4 5 6 7 8 9 10 11 12 13 14 15 16 17 18 19 20 21 22 23 24 25 26 27
M25
A1(M)
A1000
B157
B156
B556
B5378
A411
A41
A5
A1
A504
A503
A104
A121
B170
M11
A12

## Reference

| | |
|---|---|
| Motorway | M25 |
| A Road | A1 |
| B Road | B198 |
| Dual Carriageway | |
| One-way Street<br>Traffic flow on A roads is indicated by a heavy line on the drivers' left. | |
| Restricted Access | |
| Pedestrianized Road | |
| Track & Footpath | |
| Residential Walkway | |
| Railway | Station, Level Crossing, Tunnel |
| Underground Station | Symbol is the registered trade mark of Transport for London |
| Built-up Area | BROOK PL. |
| Local Authority Boundary | |
| Postcode Boundary | |
| Map Continuation | 8 |
| Junction Name | APEX CORNER |
| Church or Chapel | † |
| Fire Station | ■ |
| Hospital | H |
| House Numbers (A & B Roads only) | 86 3 |
| Information Centre | i |
| National Grid Reference | 250 |
| Police Station | ▲ |
| Post Office | ★ |
| Toilet with Facilities for the Disabled | |
| Educational Establishment | |
| Hospital or Hospice | |
| Industrial Building | |
| Leisure or Recreational Facility | |
| Place of Interest | |
| Public Building | |
| Shopping Centre or Market | |
| Other Selected Buildings | |

**Scale** 1:19,000
3⅓ inches (8.47 cm) to 1 mile
5.26 cm to 1 kilometre

0 — ¼ — ½ — ¾ Mile
0 — 250 — 500 — 750 Metres — 1 Kilometre

**Geographers' A-Z Map Company Limited**

Head Office:
Fairfield Road, Borough Green, Sevenoaks, Kent TN15 8PP
Telephone 017320 781000 (General Enquiries & Trade Sales)
Showrooms:
44 Gray's Inn Road, London WC1X 8HX
Telephone 020 7440 9500 (Retail Sales)
www.a-zmaps.co.uk

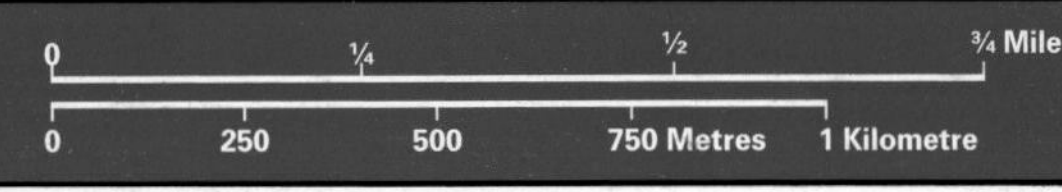


EDITION 1 2001

2
A
B
C
D
E
1
2
3
4
5
6
7
32
33
34
04
03
202
01
8
9
HAMMOND STREET
Appleby Street
Lucas End
GOFF'S OAK
Rosedale
CHURCHGATE
BURY GREEN
EN7
Nurseries
Nursery
Gammon Farm
Francis Farm
Rec. Ground
Appleby Street Farm
Park House
PARADISE
PARADISE HOUSE
Smartsgreen
Roundcroft Wood
HAMMOND STREET
APPLEBY STREET
PARK LANE
LONGFIELD LANE
ROAD
SMITHS LA.
CHEESE LA.
BREAD &
GAMMON'S LA.
PEAR TREE WALK
SHELDON CL.
MAYCROFT RD.
SPENCER
RUSKIN
SOUTH VW. CL.
OAKLANDS
WILLOW CL.
HAMMOND AV.
MOUNTVIEW RD.
BRANDON CL.
SICKLEFIELD CL.
HOLBECK
HILLTOP CL.
LOWER SHOTT
UP. SHOTT
ROUNDCROFT
ADAMSFIELD
SMARTS GREEN
FLEMING CL.
SPRINGWOOD
HEADINGLEY CL.
DIG DAG HILL
COLERIDGE CL.
PEAKES LA.
PEAKES WAY
CAVELL RD.
COWLES
LAVENDER CL.
FRENSHAM
DICKSON
Club
Burton Lodge
Burton Grange
BURTON GRANGE
Fairfields Prim. Sch.
ROSEDALE
JACKSONS DR.
BAISLEY HO.
VALENCE RD.
ST. ANNES CL.
GRANBY PK. RD.
LANE
ANDREW'S
ELDERBEK CL.
CRANLEIGH CL.
HOLLYBUSH WY.
GLAMIS CL.
BUSHBARNS
CUSSONS CL.
CLOSE
CONY CL.
THE POPLARS
THE LAURELS
THE FIRS
ACACIA CLOSE
FORESTERS
ALLWOOD
RAGS LANE
LIGHTS WOOD CL.
BIGGS GRO. RD.
HIGGINS
GT. STOCKWOOD RD.
LIT. STOCK RD.
NUTWOOD GS.
BROADGREEN
FERNEY RD.
WATERCRESS RD.
HULL CL.
ARGENT CL.
Lucasend Farm
High View Farm
Oak View Farm
Malaya Farm
Twelve Acres Farm
Primrose Cottage
Laurel Bank Farm
BARTROP CL.
POPPY WK.
MALLOW WK.
NURSERY GDS.
POETS GA.
ANDREW'S ROAD
ST. JAMES
Whitehouse Farm
THE ASTERS
BLUEBELL DR.
THE GATEWAYS
BRIARSWOOD
THE MAPLES
WHITEHAVEN
LEA MOUNT
Tennis Courts
Rosedale Sports Ground
Pav.
Playing Field
CROUCH
NEWGATESTREET RD.
COLSTON CR.
MILLCREST RD.
MELVIN CL.
BEEHIVE RD.
OAKTREE CL.
GOFFS OAK AV.
THE CHASE
LANGLEY CT.
MASON'S PDE.
THE DRIVE
WESLEY CL.
ROBINSON AV.
Playing Field
VALLEY VW.
Liby.
CUFFLEY HILL
B156
GOFF'S LANE
650
495
456
329
264
PEMBROKE DR.
GOFF'S CRES
POLLARDS CL.
DOVERFIELD
MYLES CT.
LITTLE PIPERS CL.
Woodside Primary Sch.
LULWORTH AV.
BROADFIELDS
JONES
TUDOR VILLAS
BURTON
SHANKLIN CL.
CONIFER CL.
HORNBEAM WY.
THOMPSONS CL.
CALDECOT AV.
Water Tower
FAINTS CL.
HUNTERS REACH
ROSEDALE WY.
WOLSEY AV.
CATTLINS CL.
CLAREMONT
TILEKILN CL.
Club
Playing Field
Goffs Sch.
HALSTEAD HILL
Colesgrove Manor
Swimming Pool
South Lodge
Halstead Hill House
Nurseries
Nursery
Theobalds Brook
Poyndon Farm
SILVER STREET
Dell View
Burnt Farm Camp
Cemetery
LIEUTENANT ELLIS WAY
Bonneygrove Prim. Sch.
GROVEDALE CL.
FIELD VW.
BONNEY GRO.
WINDSOR CL.
BARROW LA.
BEVERLEY GS.
Cemetery
PORTLAND
WOODSIDE DR.
MEUX CL.
BURY GREEN ROAD
Broadfield Bungalow
Broadfield Farm
Buryrgreen Plantation
B198
OLDPARK RIDE
Chain Walk
Cattlins
Dysons Osiers
Home Wood
Hanging Plantation
Spring Farm
Theobalds Manor
Temple House
Caravan &

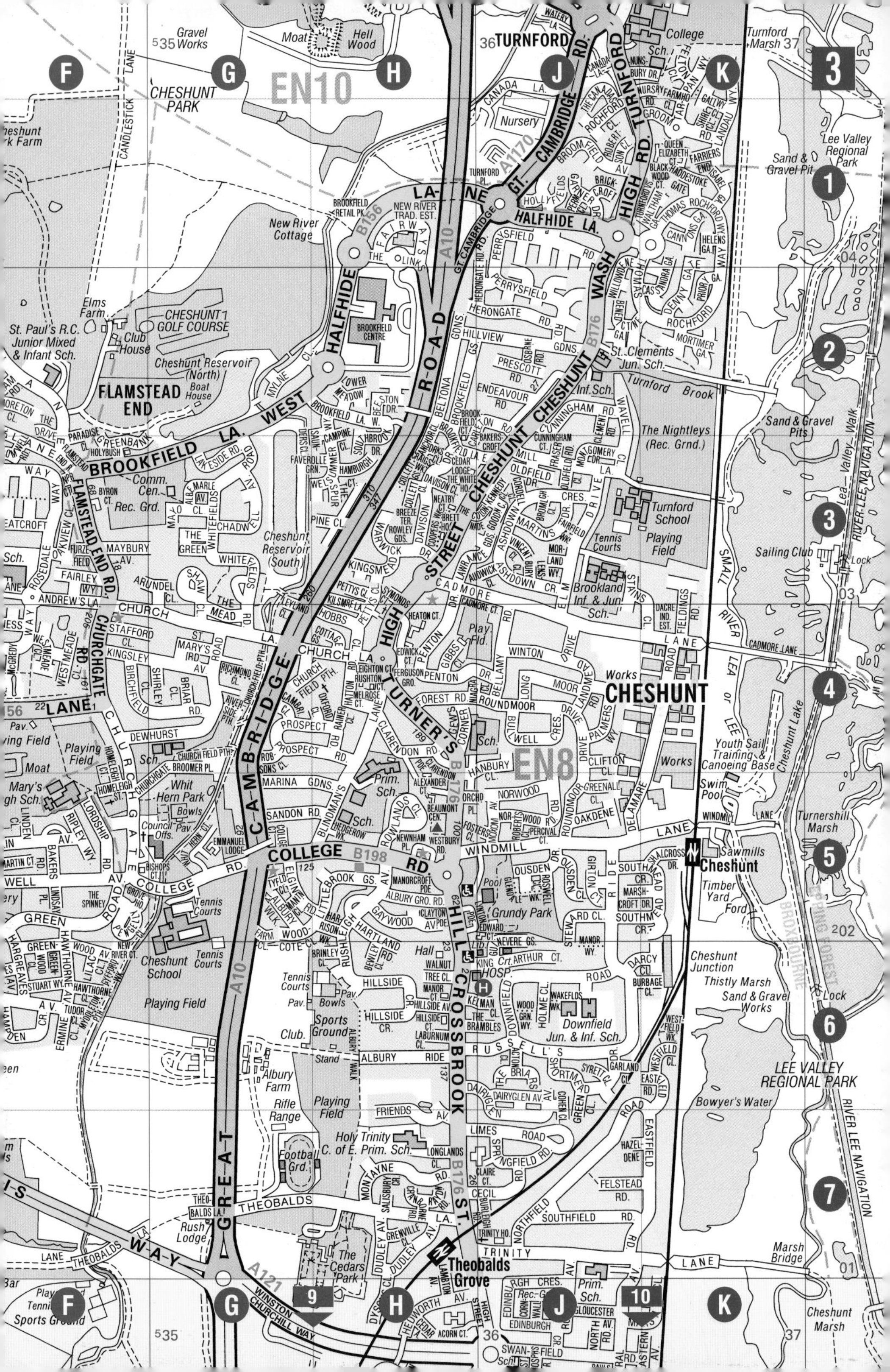
3
F
G
H
J
K
1
2
3
4
5
6
7
EN10
EN8
TURNFORD
CHESHUNT
FLAMSTEAD END
CHESHUNT PARK
Gravel Works
Moat
Hell Wood
College
Turnford Marsh
Lee Valley Regional Park
Sand & Gravel Pit
Nursery
CANADA LA.
GT. CAMBRIDGE RD.
A1170
TURNFORD HIGH RD.
HALFHIDE LA.
HALFHIDE LANE
BROOKFIELD RETAIL PK.
NEW RIVER TRAD. EST.
New River Cottage
B156
THE FAIRWAYS
THE LINKS
A10
BROOKFIELD CENTRE
CAMBRIDGE ROAD
WASH
B176
CHESHUNT GOLF COURSE
Club House
Elms Farm
St. Paul's R.C. Junior Mixed & Infant Sch.
Cheshunt Reservoir (North)
Boat House
BROOKFIELD LA. WEST
HERONGATE RD.
PERRYSFIELD
HILLVIEW GDNS.
PRESCOTT RD.
ENDEAVOUR RD.
St. Clements Jun. Sch.
Inf. Sch.
Turnford Brook
Sand & Gravel Pits
The Nightleys (Rec. Grnd.)
Lea Valley Walk
RIVER LEE NAVIGATION
CHESHUNT STREET
Comm. Cen.
Rec. Grd.
Cheshunt Reservoir (South)
Turnford School
Tennis Courts
Playing Field
Sailing Club
Lock
SMALL RIVER LEA or LEE
Brookland Inf. & Jun. Sch.
CADMORE LANE
FLAMSTEAD END RD.
CHURCHGATE
CHURCH LA.
HIGH STREET
TURNER'S HILL
Play. Fld.
WINTON DRIVE
ROUNDMOOR DRIVE
Works
Cheshunt Lake
Youth Sail Training & Canoeing Base
Swim Pool
Turnershill Marsh
LANE
Playing Field
Moat
Whit Hern Park
Bowls
Council Offs.
Prim. Sch.
Sch.
COLLEGE RD.
B198
WINDMILL LANE
Cheshunt
Sawmills
Timber Yard
Ford
Grundy Park
Pool
Cheshunt School
Tennis Courts
Playing Field
Cheshunt Junction
Thistly Marsh Sand & Gravel Works
BROXBOURNE
EPPING FOREST
HOSP.
Downfield Jun. & Inf. Sch.
CROSSBROOK ST.
Sports Ground
Club.
Stand
ALBURY RIDE
RUSSELLS RIDE
LEE VALLEY REGIONAL PARK
Bowyer's Water
Albury Farm
Rifle Range
Playing Field
Holy Trinity C. of E. Prim. Sch.
Football Grd.
GREAT CAMBRIDGE ROAD
THEOBALDS LANE
Rush Lodge
A121
WINSTON CHURCHILL WAY
The Cedars Park
Theobalds Grove
TRINITY LANE
Marsh Bridge
SOUTHFIELD RD.
FELSTEAD RD.
Prim. Sch.
Sports Ground
Cheshunt Marsh
9
10

M25
SOUTH MIMMS
St. Giles C.of E Prim. School
A1(M)
Bridgefoot
Earls Farm
Greyhound Lane Farm
Bignell's Corner
Junction 1 A1(M)
BIGNELL'S CORNER
THE MEADOWS
Church Farm
Ridge Farm
RIDGE
Imperial Cancer Research Centre
Blanche Farm
Depot
South Mimms Service Area
Junction 23 (M25)
A1081
Summerswood Farm
WD6
Dyrham Park Farm
High Canons
Holmshill House
Bucketsland Farm
DYRHAM PARK GOLF COURSE
DYRHAM PARK
Dyrham Park Country Club
Valentine's Farm
Knightsland Farm
Electricity Sub. Station
Strangeways Farm
Rowley Farm
BRIDGEDOWN GOLF COURSE
Fold Farm
WROTHAM PARK OPEN SPACE
Sports Ground
BARNET BY-PASS A1
A1 ROAD
MOTORWAY
ST. ALBANS ROAD
TROTTERS BOTTOM
GALLEY LANE
ARKLEY LANE
PACKHORSE LANE
HOLMSHILL LANE
BUCKETTSLAND LANE
ROWLEY LANE
SUMMERSWOOD LANE
CROSSOAKS LANE
BLANCHE LANE
DEEVES HALL LANE
MIMMS LA.
GREYHOUND LANE
SWANLAND ROAD
Watery Lane
DYRHAM LANE
DANCERS LANE
LAUREL LODGE LA
12

5
POTTERS BAR
M25 MOTORWAY
M25
EN6
EN5
EN14
Dugdale Hill
Bentley Heath
Ganwick Corner
Kitt's End
WROTHAM PARK
OLD FOLD MANOR
GOLF COURSE
Hadley Wood
MONKEN HADLEY
MONKEN HADLEY COMMON
BARNET ROAD A1000
GREAT NORTH ROAD
A1081
MUTTON LANE
HIGH ST.
B556
A111
Cricket Ground
Super-store
Dame Alice Owen's Sch.
Pope Paul R.C. Prim. School
Sunny Bank Prim. Sch.
Elm Farm
Bentleyheath Farm
Works
Old Ganwick Farm
Norfolk Lodge Farm
Wrotham Park
Three Oak Hill
Deadman's Bottom
Cockshot Hill
Ganwick Farm
Home Farm
Lower Kitt's End Farm
Kitt's End Farm
Bartram's Quash
Chase Cottage Farm
Rectory Farm
Monken Hadley C. of E. Prim. Sch.
St. Martha's Convent R.C. School
Bournwell Hill
Club Ho.
Club House
Electricity Transformer Sta.
Hadley Green
WILBRAHAMS ALMSHOUSES
HERTSMERE
BARNET
ENFIELD
F
G
H
J
K
1
2
3
4
5
6
7
9
13
24
26
99
98
200
222
525

6
Oakmere
POTTERS BAR
EN6
M25 MOTORWAY
M25
Junction 24
THE
A1005
COCKFOSTERS
A111
STAGG HILL
ROAD
SOUTHGATE RD.
HIGH ST.
BARNET ROAD
A1000
HOSP.
Oakmere Prim. Sch.
Youth & Comm. Cen.
Fir Wood
COOPERS
HOOKE HILL
Pond Wood
New Cottage
The Lodge
New Cottage Farm
The Cottage
Mandevyll
Stagg Ridge
Nursery
Chase Cottage Farm
Chase Farm
Fenny Slade Hill
Chase Wood
North Lodge Farm
North Lodge Cottages
South Barvin Farm
Plumridge Hill
Fir Wood
Plumridge Wood
Vault Hill
Hornbeam Hills
Vault Hill Wood
Three Oak Hill
HERTSMERE
ENFIELD
Spoilbank Wood
Plumridge Farm
Cockshot Hill
Salmon's Brook
Ganwick Farm
Slopers Pond Farm
EN4
ENFIELD
Hadley Wood Prim. Sch.
West Lodge Park (Hotel)
Ash Wood
Hadley Wood
Lawn Tennis Club
HADLEY WOOD
FERNY HILL
Ferny Hill Cottage
Ferny Hill Farm
Great Broadgates Hill
BEECH HILL
Club House
Fernyhill Wood
BEECH HILL PARK
HADLEY WOOD GOLF COURSE
Monken Mead Brook
Green Brook
Fish Pond
Seedfield
Sewits Hill
HADLEY COMMO
5
14
A B C D E
1 2 3 4 5 6 7
26 27 28
98 99 00 01

7
BARVIN PARK
WOODGATE AVENUE
OAKWELL DR.
LANE
ROAD
Cattlegate Wood
Robin Hill
Wood-hurst
CATTLEGATE (CATTLEGATE HILL)
Woodhurst Farm Cottages
Woodhurst Farm
Cattlegate Farm
Cattlegate
BARVIN HILL
Turkey Brook
M25 MOTORWAY
M25
EN7
Tilekiln Osier
Crews Hill Paddocks
Owls Hall
BROXBOURNE
ENFIELD
CATTLEGATE ROAD
SOUTH HILL
Holly Hill Farm
Crews Hill
(CREWS HILL) ROAD
Golf Cottages
Club House
EN2
Lodge
Windrush
Holyhill Brook
LODGE LANE
CREWS HILL GOLF COURSE
Chain Walk
Turkey Brook
GOLF RIDE
THE RIDGEWAY
Parting Hill
Cricket Ground
EAST
Cricket Ground
East Lodge
Knig's Oak Plain
Little Beechhill Wood
BOTANY BAY
Botany Bay Farm
RECTORY FARM RD.
Rectory Farm
Duncan's Wood
Salmon's Brook
CHASE
Cuckolds Hill
A1005
KING'S OAK BMI HOSPITAL
The Cottage
Parkside House
Park Farm
Park Farm Cottages
Reservoir
Camlet Moat
Picnic Area
Moat Wood
Camlet Hill
Ride Wood
Parkside Farm
Pumping Station
KINGFISHER CT.
OAK AV.
HIGH OAKS
ARAGON
SPRING CT.
Vicarage Farm
Wolverton
RIDGE ROAD
CREST
TRENT PARK (Country Park)
Leeging Beech Gutter
Salmon's Brook
Fish Pond
Icehouse Wood
Fish Pond
Hog Hill
Noddins Well
Middlesex University
15
CROFTON
AMESBURY CT.
CRANMERE CT.
CAPSTAN RIDE
VALLEY FIELDS
F G H J K
29 530 31 01 99 98
1 2 3 4 5 6 7
8

8
A
B
C
D
E
2
31
32
33
01
1
2
3
4
5
6
7
7
16
99
98
Dysons Osiers
Home Wood
OLD PARK
Home Plantation
Spring Farm
Theobalds Manor
Theobald Stud
Square Planting
South
Tilekiln Osiers
M25 MOTORWAY
M25
BROXBOURNE
ENFIELD
Cinder Ash
Crews Hill Paddocks
Cuffley Brook
RIDE
Crews Hill Piggeries
Garden Centre
BURNTFARM
Glasgow Stud
Stud Cottages
Sander's Corner
Crews Hill
(CREWS HILL)
CATTLEGATE
ROAD
Nursery
Club House
CREWS HILL GOLF COURSE
EN7
Sloeman's Farm
Sloeman's Cottage
Whitewebbs Farm
Guy Lodge
WHITEWEBBS
ROAD
Whitewebbs Cottage
North Lodge
Fish Pond
THEOBALDS
Nurseries
The Whitewebbs Museum of Transport & Industry
CREWS HILL
BEECH AV.
ASHRIDE
ROSEWOOD DR.
WROXHAM GS.
GOLF RIDE
CYPRESS AV.
Riding Sch.
TINGEYS TOP LANE
Nurseries
Water Garden Centre
Wildwoods
WHITEWEBBS WOOD
WHITEWEBBS PARK
The Cottage
White Webbs
WHITEWEBBS GOLF COURSE
King's Oak Plain
PARK
LANE
Nursery
The Lodge
Works
Plant Farm
Prim. Sch.
ST. JOHNS CARAVAN PARK
ROAD
Cuffley Brook
STRAYFIELD RD.
FLASH
Brayside Farm
Club House
EN2
RECTORY FARM RD.
Nursery
Pav.
Cricket Grd.
Queenswood Farm
CLAY
The Red House
Kingswood
BEGGARS HOLLOW
BRAMLEY HOUSE CT.
ST. JOHN'S TER.
Rectory Farm
CLAY HILL
Rendlesham Viaduct
BROWNING
PARK NOOK GS.
ELM GS.
CRES.
HILLSIDE
STRATTON AV.
New River (Old Course)
Turkey Brook
HILLY FIELDS PARK
Clovelly
KING'S OAK BMI HOSPITAL
COOKS HOLE
PHIPPS HATCH LA.
ST. LUKE'S AV.
HILL
LINTON DR.
WOODBINE GRO.
MYRTLE GRO.
Rec. Ground
CONWAY GS.
HENRY CT.
PORTLAND DR.
BURNHAM
CHASE FARM HOSP.
CEMETERY
LIME TREE WK.
RD.
CEDAR
GLOUCESTER RD.
PARK RD.
BRO-DIE
VIOLET AV.
MORLEY
Play. Field
Lavender Prim. Sch.
RIDLER RD.
SPRINGCT. RD.
SILVER CHASE COURT
BRIGADIER
YORK TER.
GLENVILLE AV.
MERTON RD.
HAWTHORN GRO.
THE RIDGEWAY
HIGH OAKS
HADLEY RD.
RIDGE CREST
A1005
HARRIS
LAVENDER GS.
RENDLESHAM
TUDOR CR.
BLOSSOM
CHANTRY CL.
BEDALE RD.
RIPLEY RD.
WETHERBY RD.
ST. FAITH'S CL.
Sch.
WHITEHO. LA.
WOODLANDS RD.
STERLING RD.
BURLINGTON RD.
BIRKBECK
ACACIA RD.
LAVENDER RD.
ROSEMARY AV.
PRIMROSE AV.
RADNOR GDNS.
KENILWORTH
HUNTERS WY.
HAREFIELD
ALBUHERA CL.
SHOOTERS RD.
COMREDDY CL.
LAVENDER HILL
LANCASTER
ROAD
FARORNA WK.
FARM LANDS
HARDY WAY
HOLTWHITE'S
LEE VW.
HEDGE
Gordon Hill
GORDON
YOUNGMANS CL.
DALE CT.
BORROWDALE
BATTLY RD.
LAUREL
LYNN CL.
WALTON CT.
DRAKE ST.
LEA RD.
ARMFIELD RD.
KYNASTON RD.
YORK HO.
WEARDALE GS.
LANCASTER HO.
THE DRIVE
PRIORS MEAD
CANONBURY R.
TENNISWOOD
INVERNESS
FAIRVIEW RD.
HANSART WY.
WOODRIDGE CL.
JOHN GOOCH DR.
CHASE WOOD
PADSTOW
PERRY
BANKSIDE
BANBURY
Pav.
Sports Ground
BLACK FAN CL.
CHASE SIDE CR.
GATER DR.
FARR RD.
Sports Grd.
BELL RD.
BAKER
Chace Community Sch.
LANE
DRAPERS
AVALON CL.
CROFTON WAY
ROWANTREE
MEAD
Chase Side
GORDON
HALIFAX
HEENE RD.
COLLEGE
BELLAMY RD.
ROAD
CHURCHBURY RD.
CHURCHBURY
SANDRINGHAM CL.
WILLOW
AMESBURY CT.
CRANMERE CT.
DUNRAVEN
VALLEY FIELDS
CAVELL
AUDLEY
BYCULLAH
BYRON CT.
TRINITY
TRINITY CT.
CHASE MANOR
HILL
ST.
PARSON
NUNNS
ROAD
CHEVIOT CL.
PEVENSEY AV.
COWDREY
ALDERSBROOK AV.
GRAEME

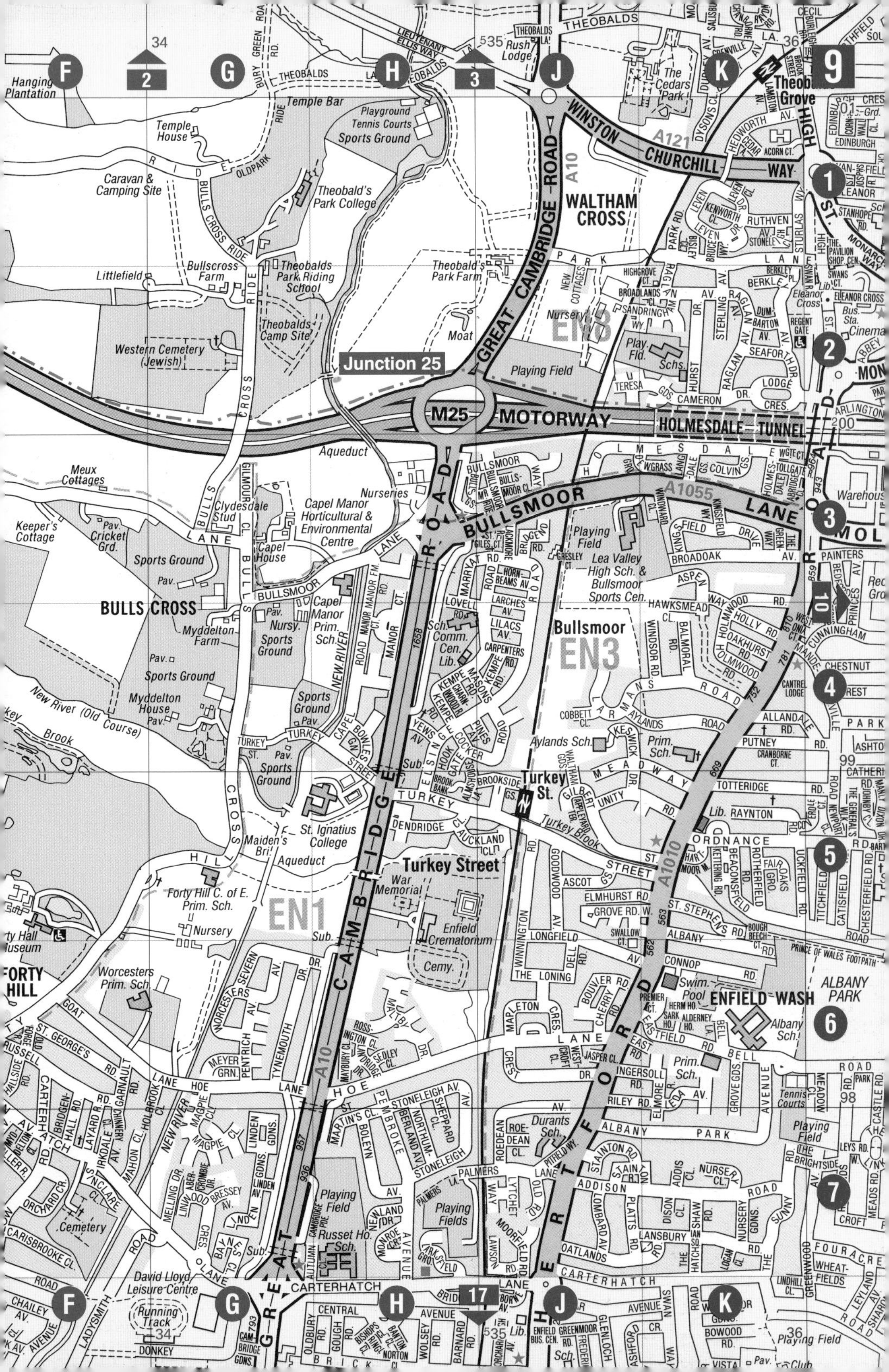

WALTHAM CROSS
BULLS CROSS
Bullsmoor
EN3
EN8
EN1
Turkey Street
ENFIELD WASH
FORTY HILL
ALBANY PARK
Junction 25
M25 MOTORWAY
HOLMESDALE TUNNEL
GREAT CAMBRIDGE ROAD
WINSTON CHURCHILL WAY
BULLSMOOR LANE
HERTFORD ROAD
Theobald's Park College
Capel Manor Horticultural & Environmental Centre
Lea Valley High Sch. & Bullsmoor Sports Cen.
Western Cemetery (Jewish)
Enfield Crematorium
St. Ignatius College
Forty Hill C. of E. Prim. Sch.
Worcesters Prim. Sch.
David Lloyd Leisure Centre
Myddelton House
New River (Old Course)
Turkey Brook
Theobalds Grove
Turkey St.


2
3
10
17

EN8
WALTHAM CROSS
Waltham Cross
Holdbrook
WALTHAM ABBEY
Royal Gunpowder Mills
Waltham Marsh
Cheshunt Marsh
Marsh Bridge
Town Mead
Abbey Fish Ponds
Harold's Bridge
Waltham Abbey Ch. (Rems. of)
Abbey Gdns.
Theobalds Grove
M25 MOTORWAY
STATION RD.
ELEANOR CROSS RD.
HIGHBRIDGE ST.
MONARCHS WY.
HERTFORD RD.
HOLMESDALE TUNNEL
MOLLISON AVENUE
RAMMEY MARSH
COUNTRY PARK
Rammey Marsh Flood Relief Channel
INNOVA BUSINESS PARK
BUSINESS INNOVATION CENTRE
FREEZY WATER
EN3
Enfield Lock
ENFIELD LOCK
Prince of Wales Prim. Sch.
RIVER LEE NAVIGATION
Cattlegate Flood Relief Channel
Enfield Island Village
ENFIELD WASH
ALBANY PARK
WATERWAYS BUSINESS CENTRE
Overflow Channel
Pumping Station
KING GEORGE'S RESERVOIR
Lea Valley Walk
BRIMSDOWN INDUSTRIAL ESTATE
SEWARDSTONE
Sewardstone Hall
Kingsfield Nurseries
Barnfield Riding Stables
Hannah Nursery
Fouracres Nursery
Northfield Nursery
Northcroft Nursery
Marshfield Nursery
Chapelfield Nursery
Luthers Farm
EPPING FOREST
ENFIELD
BROXBOURNE
A121
A1055
A1010
A112
B194
3
9
18

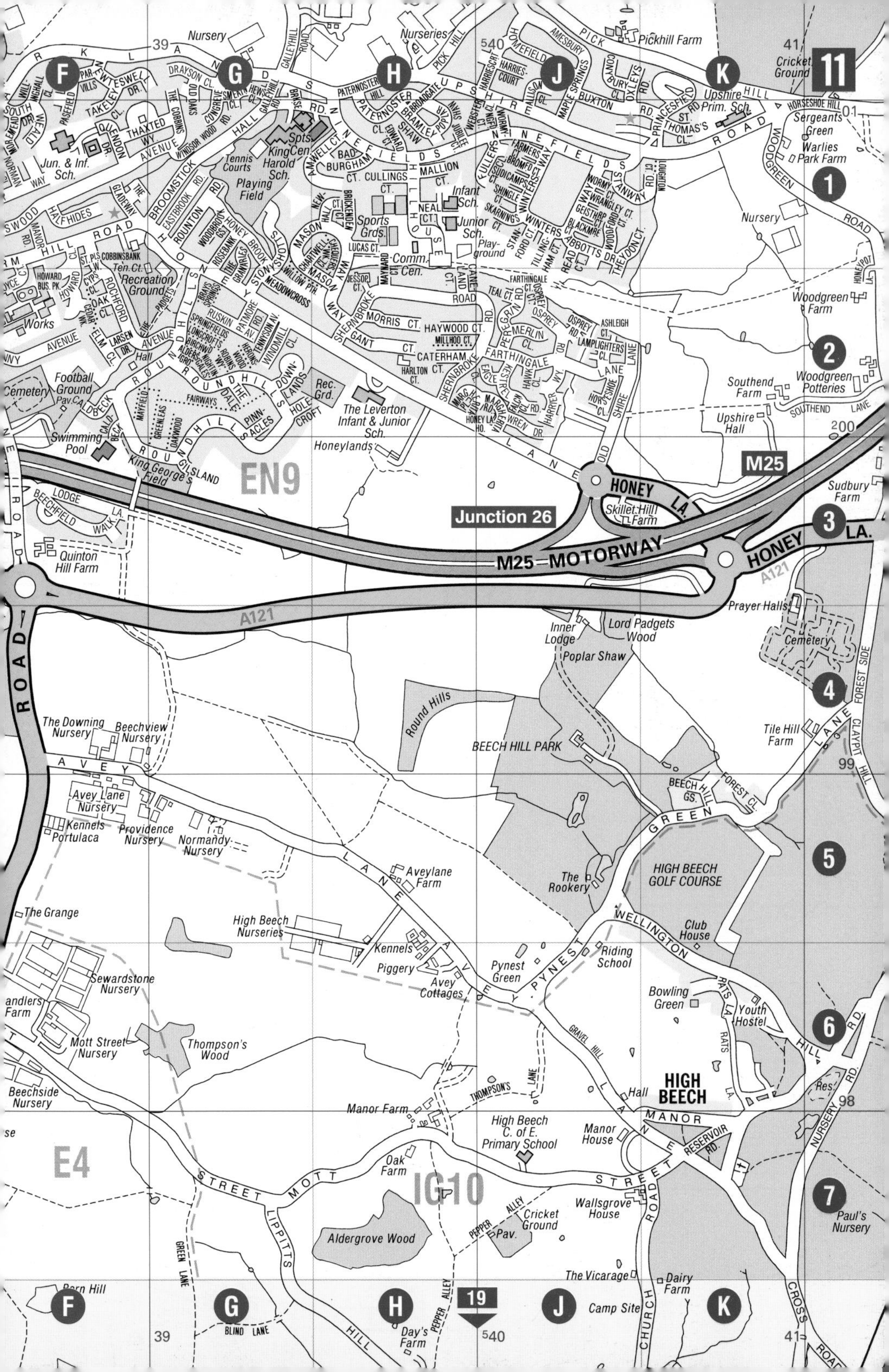

11
F
G
H
J
K
1
2
3
4
5
6
7
39
540
41
01
200
99
98
EN9
E4
IG10
M25
M25 MOTORWAY
Junction 26
A121
HONEY LA.
HONEY LA.
Nursery
Nurseries
Pickhill Farm
PICK HILL
UPSHIRE ROAD
Upshire Prim. Sch.
Cricket Ground
HORSESHOE HILL
Sergeants Green
Warlies Park Farm
WOODGREEN ROAD
Nursery
Woodgreen Farm
Woodgreen Potteries
Southend Farm
SOUTHEND LANE
Upshire Hall
Sudbury Farm
Skillet Hill Farm
Prayer Halls
Cemetery
FOREST SIDE
Tile Hill Farm
CLAYPIT HILL
Jun. & Inf. Sch.
Spts. Cen
King Harold Sch.
Tennis Courts
Playing Field
Infant Sch.
Junior Sch.
Sports Grds.
Comm. Cen.
Play-ground
Recreation Ground
Works
Football Ground
Cemetery
Swimming Pool
King George's Field
Rec. Grd.
The Leverton Infant & Junior Sch.
Honeylands
NINEFIELDS
GALLEYHILL ROAD
BROOMSTICK HALL ROAD
HONEY LANE
ROUNDHILLS
SHERNBROKE
FARTHINGALE LANE
SHIRE LANE
OLD SHIRE LANE
LODGE LA.
BEECHFIELD WALK
Quinton Hill Farm
SEWARDSTONE ROAD
GILSLAND
Inner Lodge
Lord Padgets Wood
Poplar Shaw
Round Hills
BEECH HILL PARK
The Downing Nursery
Beechview Nursery
AVEY LANE
Avey Lane Nursery
Kennels Portulaca
Providence Nursery
Normandy Nursery
Aveylane Farm
High Beech Nurseries
Kennels
Piggery
Avey Cottages
Pynest Green
PYNEST GREEN LANE
The Grange
Sewardstone Nursery
Mott Street Nursery
Thompson's Wood
Beechside Nursery
BEECH HILL GS.
FOREST CL.
GREEN
HIGH BEECH GOLF COURSE
The Rookery
WELLINGTON
Club House
Riding School
Bowling Green
RATS LA.
Youth Hostel
HILL RD.
GRAVEL HILL
THOMPSON'S LANE
HIGH BEECH
Hall
Res
NURSERY RD.
MANOR ROAD
RESERVOIR RD.
Manor Farm
High Beech C. of E. Primary School
Manor House
Oak Farm
MOTT STREET
Aldergrove Wood
Wallsgrove House
CHURCH ROAD
PEPPER ALLEY
Cricket Ground
Pav.
The Vicarage
Dairy Farm
Camp Site
Paul's Nursery
CROSS ROAD
LIPPITTS HILL
GREEN LANE
BLIND LANE
Day's Farm
19

12
A
B
C
D
E
4
20
21
22
23
WD6
EN5
Sports Grd.
Tennis Cts.
Works
Wrotham Park Open Space
Saffron Green
Fold Farm
BRIDGEDOWN GOLF COURSE
Galley Lane Farm
Poor Clare Monastery
HERTSMERE
BARNET
Playing Field
Shooting Ground
Golf Driving Range
Arkley Lane Open Space
Tennis Courts.
Woodlands Farm
Laing's Sports Club
Club House
School
Rowley Green Farm
ARKLEY GOLF COURSE
Rowley Green
Arkley Rise Estate Open Space
Arkley Manor
Laing Sports Club Golf Course
Reservoir (covered)
Club House
Nursing Home
Rowley Bank Nurseries
Sports Ground
ARKLEY
Whitings Hill Prim. Sch.
Whitings Hill Open Space
Whalebone Park
Memorial Sports Centre
Windmill
STIRLING CORNER
BARNET GATE
Tennis Courts
Sports Ground
Cottage Farm
(Old Elizabethans) Playing Field
Pav.
Caravan Park
Hyver Hall
Hyver Farm
Barnet Gate Wood
Allendale
Brent Lodge Farm
Gravel Pit Wood
Tanglewood
Dollis Brook
Hendon Wood Lane Open Space
MOAT MOUNT OPEN SPACE
Target Wood
The Shrubbery
Sports Ground
Moat Mount Camp Site
Leg of Mutton Pond
Clump of Trees Wood
Mote End Farm
St. Edward's College
Abattoir
Totteridge Park
Farmleigh
Boundary House
Oak Lodge
Mote Mount
White Lodge
Hendon Park
Totteridge Common
Ellern Mede Farm
The Lynch House
Fairlawn
Highwood
Mill Hill High Sch.
BARNET ROAD
A1 BY-PASS
A5135
ROWLEY LA.
ELSTREE WY.
ELSTREE DISTRIBUTION PARK
ARKLEY LANE
GALLEY LANE
ROWLEY LANE
ROWLEY GREEN RD.
BARNET ROAD
A411
BARNET GATE LANE
MAYS LANE
HENDON WOOD LANE
B552
TOTTERIDGE
A5109
BARNET WAY
A1
HYVER HILL
OLD FOLD VIEW
GRIMSDYKE
JENNINGS WAY
KINGS
OAKLANDS
GARTHLAND
DRIVE
WHITINGS
QUINTA
GLEBE LANE
WINDMILL LA.

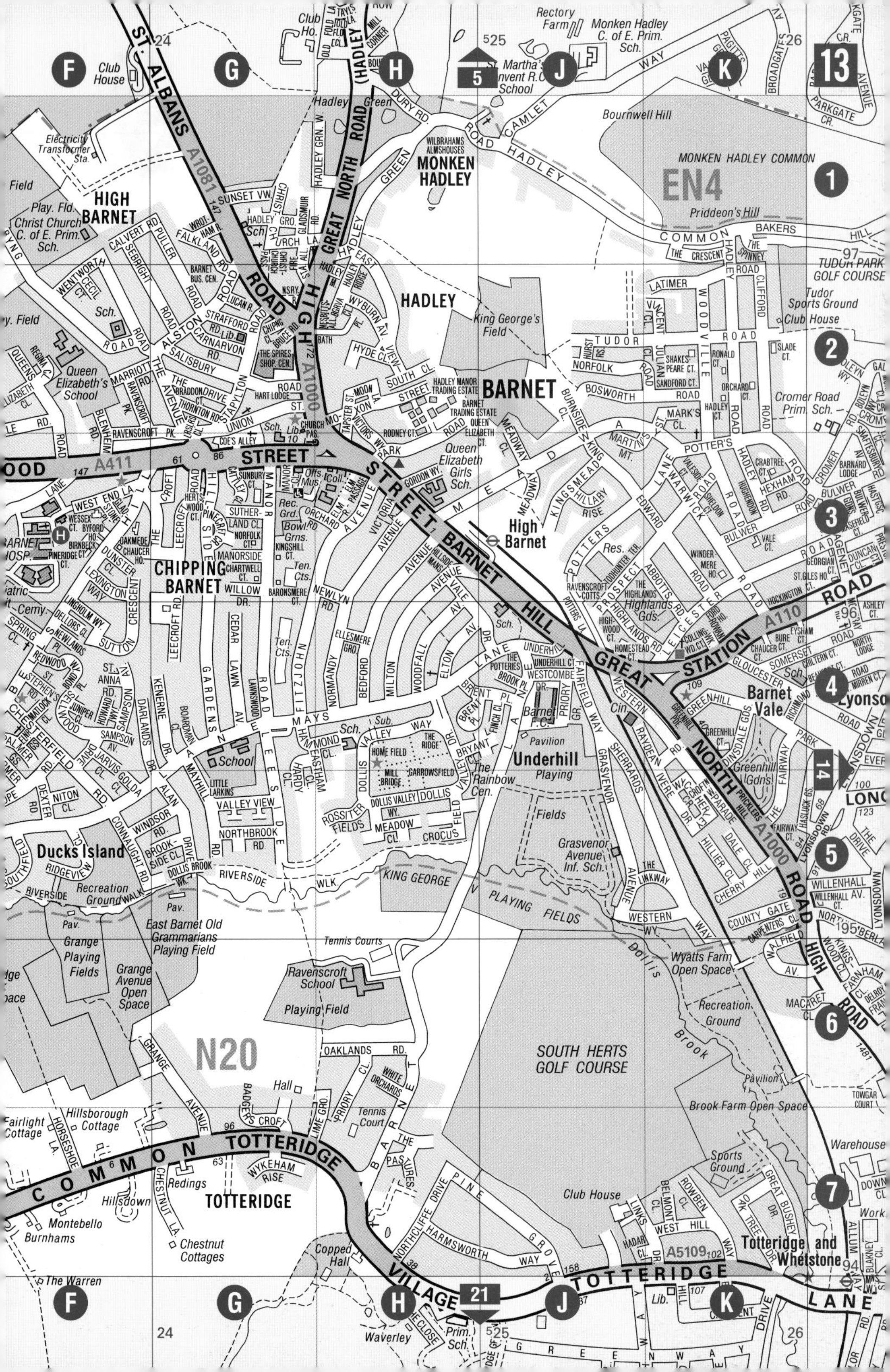
HIGH BARNET
MONKEN HADLEY
MONKEN HADLEY COMMON
EN4
HADLEY
BARNET
CHIPPING BARNET
High Barnet
Underhill Playing Fields
Barnet Vale
Ducks Island
N20
SOUTH HERTS GOLF COURSE
TOTTERIDGE
Totteridge and Whetstone
KING GEORGE V PLAYING FIELDS
Ravenscroft School Playing Field
Queen Elizabeth's School
Queen Elizabeth Girls Sch.
King George's Field
Bournwell Hill
Priddeon's Hill
Tudor Park Golf Course
Tudor Sports Ground
Cromer Road Prim. Sch.
Greenhill Gdns.
Wyatts Farm Open Space
Brook Farm Open Space
Grange Playing Fields
Grange Avenue Open Space
East Barnet Old Grammarians Playing Field
Recreation Ground
Dollis Brook
Copped Hall
Hillsborough Cottage
Fairlight Cottage
Montebello
Burnhams
Chestnut Cottages
Redings
Hillsdown
The Warren
Waverley
Rectory Farm
Monken Hadley C. of E. Prim. Sch.
St. Martha's Convent R.C. School
Christ Church C. of E. Prim. Sch.
Electricity Transformer Sta.
Club House
Wilbrahams Almshouses
The Spires Shop. Cen.
Barnet Trading Estate
Hadley Manor Trading Estate
Grasvenor Avenue Inf. Sch.
The Rainbow Cen.
Barnet Hosp.
ST. ALBANS ROAD A1081
HIGH STREET A1000
GREAT NORTH ROAD
BARNET HILL
GREAT NORTH ROAD A1000
STATION ROAD A110
HIGH ROAD
WOOD STREET A411
TOTTERIDGE COMMON
TOTTERIDGE VILLAGE
TOTTERIDGE LANE A5109
HADLEY COMMON
CAMLET WAY
MEADWAY
MAYS LANE
UNDERHILL
DOLLIS VALLEY WAY
BARNET LANE
WESTERN WAY
GREENWAY
5
21
14
24
525
26
F G H J K
1 2 3 4 5 6 7

14
BEECH HILL PARK
HADLEY WOOD GOLF COURSE
6
Rough Lot
Seedfield Spinney
Fish Pond
Green Brook
Monken
Sewits Hill
Monken Hadley Common
ENFIELD
BARNET
Newmans Hill
Beech Hill Lake
Oak Wood
COCKFOSTERS ROAD
BAKERS HILL
HADLEY WOOD RD.
TUDOR PARK GOLF COURSE
Tudor Sports Ground Club House
EN5
Playing Field
East Barnet Sch. 5th. & 6th. Form Centre
Livingstone Prim. Sch.
Play. Fld.
FAIRGREEN
GAMES RD.
Church
Cemetery
War Meml.
Playing Fields
Cromer Road Prim. Sch.
Recreation Ground
NEW BARNET
Pymmes Brook
COCKFOSTERS
Cockfosters
EN4
A111
EAST BARNET RD.
STATION ROAD
A110
New Barnet
Lyonsdown
Pleasure Ground
EAST BARNET
BROOKHILL R.
CAT HILL
Middlesex University
Oaktree Sch.
East Barnet Sch.
Play. Fld.
LONGMORE AV.
B193
13
Oakhill College
Bandstand
Playground
OAK HILL PARK
Pavilion
Miniature Golf Course
Monkfrith Prim. Sch.
Bowling Green
Tennis Courts
Oakleigh Park
HIGH ROAD
A1000
N20
Playing Field
Warehouses
Owen's Centre Playing Field
Works
OAKLEIGH PARK
Totteridge and Whetstone
TOTTERIDGE LA.
WHETSTONE
OAKLEIGH ROAD
South Barnet
Barnet Coll.
OSIDGE LANE
Brunswick Prim. Sch.
RUSSELL RD.
22
Sports
A
B
C
D
E
1
2
3
4
5
6
7
26
27
28
94
95
96
97

F
G
H
J
K
7
TRENT PARK
(Country Park)
Middlesex
University
Williams
Wood
Hog Hill
Shaws Wood
Miniature
Rifle Range
TRENT PARK
GOLF COURSE
ENFIELD ROAD
A110
EN2
World's
End
Playing Fields
Grange Park
Prim. Sch.
Oakwood
Southgate
School
Highlands
Village
N21
OAKWOOD PARK
OAKWOOD
Yacht
Pond
N14
Sports
Ground
GROVELANDS PARK
Bourneside
Sports Centre
GROVELANDS
PRIORY
HOSPITAL
Boating
Lake
Pitch &
Putt Course
Southgate
OSIDGE
SOUTHGATE
Southgate
College
THE BOURNE
A111
BOURNE HILL
16
23
1
2
3
4
5
6
7

16
Gordon Hill
Chase Side
Chase Side Prim. Sch.
Enfield Grammar School (Lower)
ENFIELD TOWN
Enfield Sch.
Civic Cen.
Chace Community Sch.
SLADES HILL
WINDMILL HILL
CHURCH ST.
SOUTHBURY
CECIL ROAD
Enfield Chase
World's End
Moat
Club House
ENFIELD GOLF COURSE
Playing Fields
Playing Field
Grange Park Prim. Sch.
GRANGE PARK
Grange Park
Town Park
Tennis Courts
The Golf House
BUSH HILL PARK GOLF COURSE
Bush Hill
LONDON ROAD
LONDON PARK AV.
VILLAGE RD.
RIDGE AV.
LANES
WINCHMORE HILL
Winchmore Hill
The Paulin Ground
Sports Ground
EDMONTON CEMETERY
GREAT CAMBRIDGE ROAD
Highfield Schs.
Winchmore Sch.
Bury Lodge Park
THE RIDGEWAY
Enfield Town
High Sch.
Cricket Ground
N21
A110
A1005
A105
A10
B154
15
8
24

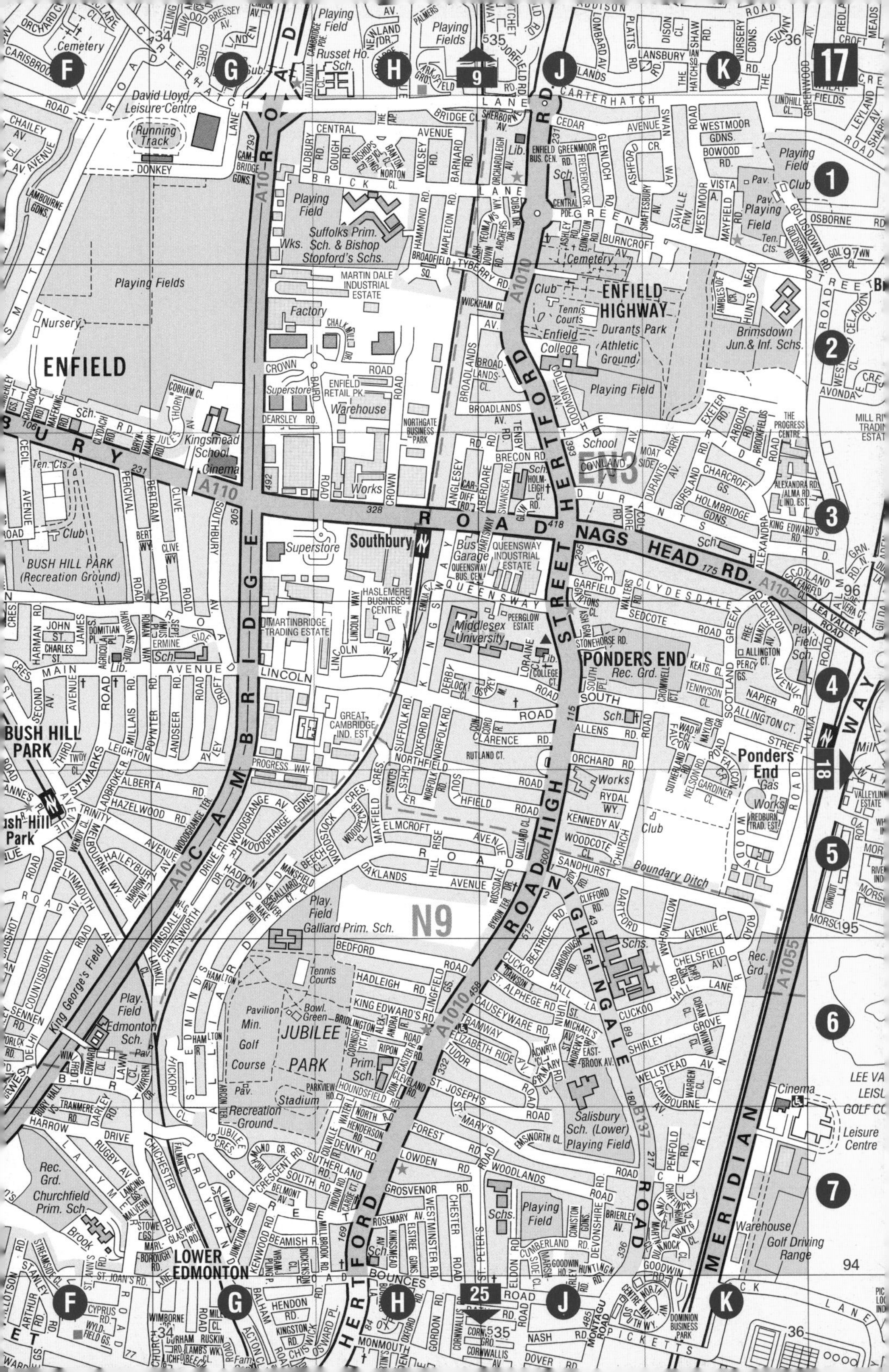
17
F
G
H
J
K
9
25
18
1
2
3
4
5
6
7
34
535
36
97
96
195
94
77
ENFIELD
ENFIELD HIGHWAY
BUSH HILL PARK
PONDERS END
LOWER EDMONTON
EN3
N9
Cemetery
David Lloyd Leisure Centre
Running Track
Playing Fields
Playing Field
Russet Ho. Sch.
Suffolks Prim. Sch. & Bishop Stopford's Schs.
MARTIN DALE INDUSTRIAL ESTATE
Factory
Superstore
ENFIELD RETAIL PK.
Warehouse
NORTHGATE BUSINESS PARK
Works
Kingsmead School
Cinema
Nursery
BUSH HILL PARK (Recreation Ground)
Southbury
HASLEMERE BUSINESS CENTRE
MARTINBRIDGE TRADING ESTATE
GREAT CAMBRIDGE IND. EST.
QUEENSWAY INDUSTRIAL ESTATE
Bus Garage
Middlesex University
PEERGLOW ESTATE
Enfield College
Durants Park Athletic Ground
Brimsdown Jun.& Inf. Schs.
THE PROGRESS CENTRE
ALEXANDRA RD. ALMA RD. IND. EST.
Ponders End Rec. Grd.
Ponders End Gas Works
REDBURN TRAD. EST.
Boundary Ditch
Play. Field
Galliard Prim. Sch.
Tennis Courts
JUBILEE PARK
Min. Golf Course
Stadium
Recreation Ground
Edmonton Sch.
Rec. Grd.
Churchfield Prim. Sch.
Salisbury Sch. (Lower) Playing Field
Rec. Grd.
Cinema
LEE VA LEISU GOLF CO
Leisure Centre
Warehouse
Golf Driving Range
DOMINION BUSINESS PARK
A10
A110
A1010
A1055
B137
CARTERHATCH LANE
GREAT CAMBRIDGE ROAD
SOUTHBURY ROAD
HERTFORD ROAD
NAGS HEAD RD.
LEA VALLEY ROAD
HIGH STREET
SOUTH STREET
NIGHTINGALE ROAD
MERIDIAN WAY
GALLIARD ROAD
KINGS WAY
QUEENSWAY
LINCOLN ROAD
DURANTS ROAD
GREEN STREET
BRICK LANE
BOUNCES ROAD
PICKETTS LOCK LANE
LATYMER ROAD
CROYLAND ROAD
CHARLTON ROAD
WOODLANDS ROAD
CUCKOO HALL LANE
OAKLANDS AVENUE
HILL RISE ROAD
BEDFORD ROAD
HADLEIGH RD.
FOREST RD.
SOUTH ROAD
SUTHERLAND RD.
HARROW DRIVE
RUGBY AV.
MAIN AVENUE
CECIL AVENUE
LEIGHTON RD.
ALBERTA RD.
HAZELWOOD RD.
WOODGRANGE AV.
ST. JOSEPH'S RD.
ST. MARY'S RD.
MONTAGU ROAD
WESTMINSTER RD.
CHESTER RD.
GROSVENOR RD.
CAMBOURNE AV.
WELLSTEAD AV.
SHIRLEY GROVE
SCOTLAND GREEN ROAD
ALMA ROAD
ALLINGTON CT.
NAPIER RD.
KEATS CL.
TENNYSON CL.
SEDCOTE ROAD
CLYDESDALE
GARFIELD RD.
CEDAR AVENUE
WESTMOOR GDNS.
BOWOOD RD.
OSBORNE RD.
AVONDALE CRES.
CARTERHATCH RD.

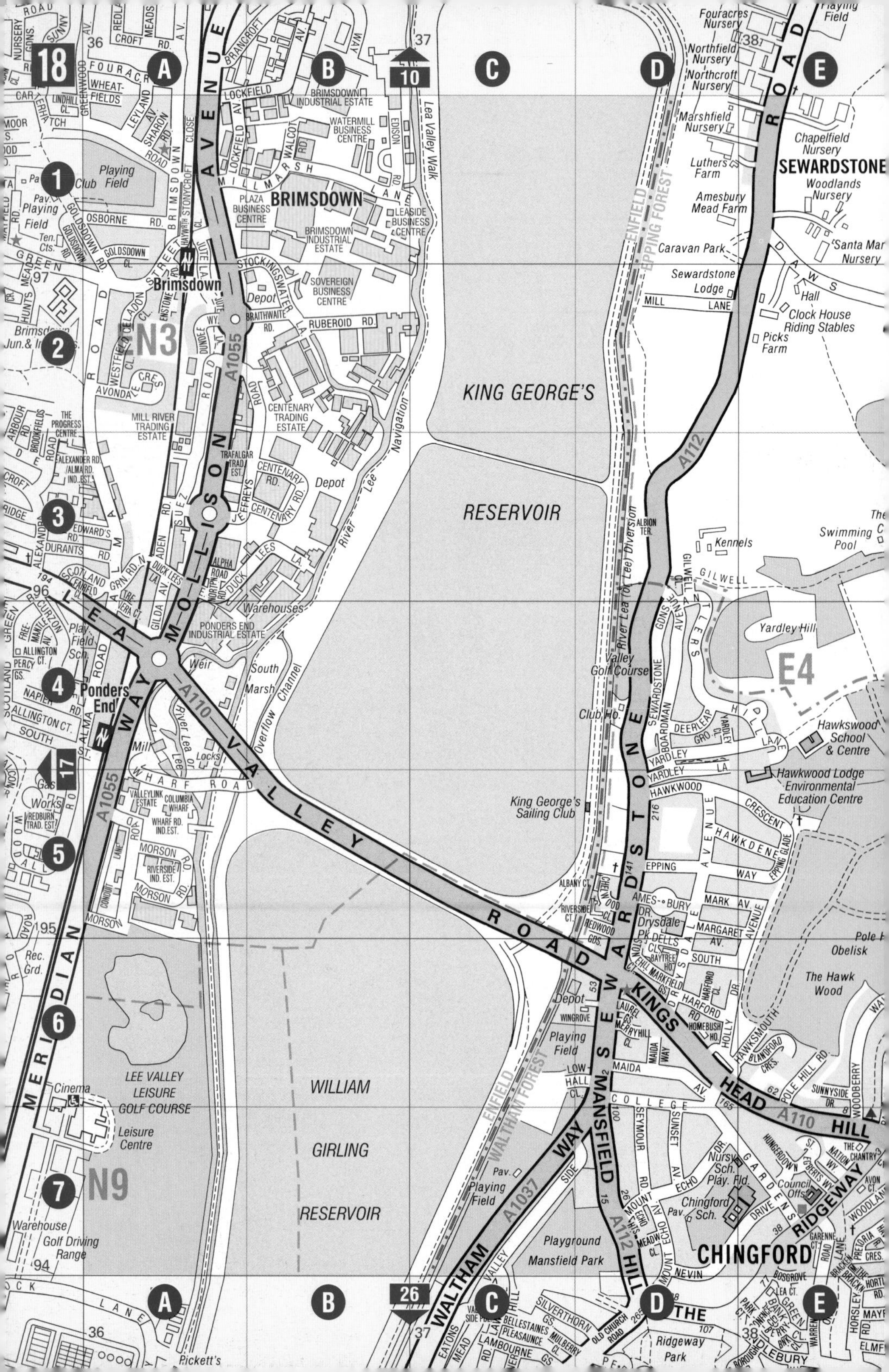

BRIMSDOWN
Brimsdown
BRIMSDOWN INDUSTRIAL ESTATE
WATERMILL BUSINESS CENTRE
PLAZA BUSINESS CENTRE
LEASIDE BUSINESS CENTRE
SOVEREIGN BUSINESS CENTRE
CENTENARY TRADING ESTATE
MILL RIVER TRADING ESTATE
PONDERS END INDUSTRIAL ESTATE
Ponders End
KING GEORGE'S RESERVOIR
WILLIAM GIRLING RESERVOIR
LEE VALLEY LEISURE GOLF COURSE
Leisure Centre
Golf Driving Range
Cinema
Warehouse
Warehouses
Depot
Weir
South Marsh
Overflow Channel
River Lee Navigation
Lea Valley Walk
River Lea (or Lee) Diversion
King George's Sailing Club
Valley Golf Course
Club Ho.
SEWARDSTONE
Sewardstone Lodge
Caravan Park
Luthers Farm
Amesbury Mead Farm
Fouracres Nursery
Northfield Nursery
Northcroft Nursery
Marshfield Nursery
Chapelfield Nursery
Woodlands Nursery
Clock House Riding Stables
Picks Farm
Kennels
Swimming Pool
Yardley Hill
Hawkswood School & Centre
Hawkwood Lodge Environmental Education Centre
The Hawk Wood
Obelisk
CHINGFORD
Chingford Sch.
Mansfield Park
Playground
Ridgeway Park
Playing Field
LEA VALLEY ROAD
MERIDIAN WAY
MOLLISON AVENUE
SEWARDSTONE ROAD
KINGS HEAD HILL
WALTHAM WAY
MANSFIELD HILL
RIDGEWAY
A1055
A110
A112
A1037
EN3
E4
N9
17
10
26

Paul's Nursery
Wallsgrove House
Cricket Ground
Pav.
Aldergrove Wood
11
The Vicarage
Dairy Farm
Camp Site
Barn Hill
GREEN LANE
LIPPITTS
BLIND LANE
PEPPER ALLEY
Day's Farm
LIPPITTS HILL
CROSS ROADS
Fernhill Wood
Police Training Camp
THE ELMS
Pipers Farm
Field Study Centre
Hill Wood
THE OWL CARAVAN SITE
Springfield Farm
Lippittshill Lodge
CHURCH HILL
Whitehouse Plain
Carrolls Farm
IG10
Fairmead Pond
Round Thicket
GILWELL PARK
Club Ho.
North Long Hills
Fairmead Bottom
Ludgate Water
Caravan Site
WEST ESSEX GOLF COURSE
GILWELL LA.
Ludgate House
Almshouse Plain
Reservoir (covered)
Sewardstone Green
BURY ROAD
Bury Wood
Ludgate Plain
Long Hills
FAIRMEAD ROAD
NEW ROAD
A104
Bury Farm
SEWARDSTONEBURY
Peartree Plain
Filter Beds
Tennis Court
FARM END
HORNBEAM LA.
WOODMAN LA.
Cuckoo Brook
Green Ride
Horse Ride
Palmer's Bridge
EPPING FOREST
Woodman's Glade
Bury Wood
Cuckoo Pits
Grimston's Oak
The Hawk Wood
Buttonseed Corner
Magpie Hill
Connaught Water
Warren Hill Ho.
ROYAL EPPING FOREST & CHINGFORD PUBLIC GOLF COURSE
The Ching
EPPING ROAD
MANOR ROAD
Chingford Plain
Recreation Ground
A1069
Powell's Forest
Club Ho.
Queen Elizabeth's Hunting Lodge
Museum
Albany Ho.
Oak Hall
RANGER'S ROAD
The Warren
Club
Tennis Courts
Barn Hoppet
Warren Pond
Chingford
IG9
St.John's C.E. Prim. Sch.
Cricket Ground
Club
Whitehall Plain
STATION ROAD
KINGS RD.
CHINGFORD GREEN
WHITEHALL ROAD
BROOK ROAD
PALMERSTON RD.
QUEEN'S ROAD
Pimp Hall Nurseries
Playing Field
Bluehouse
School
Sch.
27
F
G
H
J
K
1
2
3
4
5
6
7
39
540
41
97
96
195
94

12
OPEN SPACE
Moat Mount Camp Site
Leg of Mutton Pond
Mote Mount
Nut Wood
White Lodge
Mill Hill High Sch.
Playing Field
Club House
Beech Wood
Highwood Park
The Barn
Highwood Ho.
Hendon Park
Boundary House
Farmleigh
Oak Lodge
St. Edward's College
Abattoir
TOTTERIDGE COMMON
A5109
Totteridge Common
Ellern Mede Nursing Home
Ellern Mede Farm
The Lynch House
Fairlawn
Highwood
Highwood Hill
HIGHWOOD HILL
HIGHWOOD LANE
Highwood Hill Cottage
Holcombe Dale
Holcombe Hill
Folly Brook
MARSH LANE
BARNET WAY
Playing Field
Riding School
Belmont Sch.
Belmont Farm
Sports Ground
Cricket Club
Sports Ground
NW7
St. Mary's Abbey & Sch.
The Mill Field
Tennis Courts
Chalet Estate
Drapers' Cottage Homes
St. Joseph's R.C. College
St. Paul's C. of E. Prim. Sch.
Cemetery
Medical Research Laboratory
St. Vincent's Convent
St. Vincent's School
THE RIDGEWAY
St. Vincent's R.C. Prim. Sch.
Wentworth Hall
Drivers Hill
Mill Hill School
Marshall Estate
APEX CORNER
WATFORD WAY
A1
MILL HILL CIRCUS
MILL HILL
DAWS LANE
HAMMERS LANE
B1461
B552
The Mount Sch.
Ridgeway Ho.
Burton Bank
School Park
Featherstone Hill
ARRANDENE OPEN SPACE
Playground
MILL HILL CEMETERY
M1
HALE LANE
A5100
THE BROADWAY
M1 MOTORWAY
Mill Hill Broadway
Lyndhurst Park
Granard Bus. Cen.
Garden Centre
Cricket Ground
MILL HILL PARK
(BARNET BY-PASS)
Mill Hill Ind. Est.
Pentavia Retail Pk.
LANE WISE
Copthall School
Playing Field
Dollis Co. Inf. & Dollis Jun. Schs.
Chase Lodge
Club House
Stadium
Rugby Club
Copthall Swimming Pool
COPTHALL SPORTS CENTRE
Hasmonean High Sch.
Junction 2
FIVEWAYS CORNER
Pavilion
NW4
GREAT NORTH WAY
A41
Woodcroft Park
Sports Ground
HA8
Grahame Park
Grahame Park Estate
The Concourse
NW9
Library
Hendon Sub. Coll.
High Sch.
R.A.F. Museum Hendon
Montrose Rec. Grd.
Sports Ground
Schs.
Tennis Courts
Sunny Gardens Pde.
(BARNET-BY-PASS)
A B C D E
1 2 3 4 5 6 7
21 22 23
94 93 92 91

21
13
22
F
G
H
J
K
1
2
3
4
5
6
7
TOTTERIDGE
Hillsdown
Montebello
Burnham
The Warren
Chestnut Cottage
Copped Hall
Club House
N20
N12
N3
TOTTERIDGE VILLAGE
A5109
TOTTERIDGE LANE
Totteridge & Whetstone
WHETSTONE
Waverley
Windyridge
L'yenells
The Croft
Prim. Sch.
Lib.
CRESCENT
GREENWAY
SOUTHWAY
MEAD
LONGLAND DRIVE
WILLOW END
ELMSTEAD CL.
Cricket Ground
Pav.
GREEN WAY
COPPICE WLK.
LYNTON
VENTNOR
RIVERSIDE WALK
Swan Lane Open Space
Darland Lake Nature Reserve
Consolata Missionary College
Laurel Farm
LAUREL WAY
Woodridge Prim. Sch.
CHIDDINGFOLD
NORTHIAM
SOUTHOVER
ARLINGTON
FRAMFIELD CL.
North London Hospice
Sch.
Farm
Burtonhole Lane Farm Estate
Burtonhole Farm
BURTONHOLE LANE
HILLVIEW RD.
Sports Ground
MICHLEHAM DOWN
Woodside Park Club
Tennis Courts
Club Ho.
TILLINGHAM WAY
Folly Brook
CHANCTONBURY WAY
Woodside Park
PYECOMBE CORNER
Mill Hill Sub. Sta.
Oakfields
Partingdale Manor
Riding School
Frith Manor Ho.
LULLINGTON GARTH
Frith Manor Prim. Sch.
FOLKINGTON CORNER
CISSBURY RING
STATION APP.
WOODSIDE PK. RD.
HOLDEN RD.
ARGYLE RD.
ALEXANDRA
SUSSEX RING
RIDGEWAY
PARTINGDALE LANE
Works
READING WAY
DARLOT DRIVE
BITTACY
B552
Tennis Courts
Inglis Barracks
FINCHLEY GOLF COURSE
WESTLINGTON CL.
LOVERS WALK
Depot
Bittacy Hill Park
Playgrd.
BITTACY BUSINESS CENTRE
Nether Court (Club House)
Dollis Brook
Tennis Courts
West Finchley
NETHER COURT
Mill Hill East
Sports Ground
Gas Works
Jun. & Inf. Schs.
GRANVILLE
Bowling Green
Tennis Courts
Putting Green
Victoria Rec. Grd.
FINCHLEY
BALLARDS LANE
A598
NETHER ST.
DOLLIS ROAD
B1462
HOLDERS HILL CIRCUS
Hendon Crematorium
HENDON CEMETERY
Playing Fields
CHURCH END
Finchley Central
REGENTS PARK ROAD
School
Liby.
HENDON GOLF COURSE
Holders Hill
Pentland Centre
Avenue Ho. Grds.
Lake
26
24
525

OAKLEIGH PARK
14
TOTTERIDGE LANE
Totteridge & Whetstone
WHETSTONE
Swan Lane Open Space
North London Hospice
WHETSTONE HIGH ROAD
A1000
OAKLEIGH ROAD
RUSSELL ROAD
A109
FRIERN BARNET ROAD
B550
N20
NORTH MIDDLESEX GOLF COURSE
Club Ho.
BRUNSWICK PARK
Brunswick Prim. Sch.
Sports Ground
Works
NORTH OAKLEIGH ROAD
Recreation Ground
Bethune Park Recreation Ground
Cricket Ground
Friary Park
FRIERN BARNET
PARK WAY
THE RIDGEWAY
BETHUNE AV.
FRIERN BARNET LANE
21
Library
TORRINGTON PARK
NORTH FINCHLEY
Woodside College
Spts. Grd. Pav.
WOODHOUSE RD.
A1003
FRIERN BARNET RD.
N11
COLNEY HATCH
COLNEY HATCH LANE
Coppetts' Wood
Refuse Destructor
Superstore
COPPETTS CENTRE
PINKHAM WAY
N12
BALLARDS LANE
A598
HIGH ROAD
NORTH FINCHLEY
Tally Ho. Corner
FINCHLEY MEM. HOSP.
Fallow Corner
Play. Field
Sports Club
F'ball Grd.
Rugby Football Ground
Cricket & Football Grounds
Swim. Pool
Glebe Land Open Space
GREAT NORTH LEISURE PARK
NORTH CIRCULAR ROAD
A406
BOBBY MOORE WAY
Pitz Soccer Complex
Strawberry Vale
Islington Crematorium
Muswell Hill Sports Ground
ST. PANCRAS & ISLINGTON CEMETERY
N2
N3
CHLEY
Sports Ground
Playing Field
Recreation Ground
COLDFALL WOOD
N10
A
B
C
D
E
1
2
3
4
5
6
7
26
27
28
91
92
93
94

23
SOUTHGATE
Southgate
Southgate College
Ashmole
Playing Fields
Tennis Courts
Morton Lodge
Southgate Cricket Club Ground
Cemetery
New Southgate Crematorium
Grovelands Priory Hospital
Pitch & Putt Course
Club Ho.
BOURNE HILL
A111
N21
HIGH STREET
A1004
CANNON HILL
THE GREEN
A1003 ROAD
WATERFALL RD.
N14
ARNOS PARK
Arnos Grove
Putting Green
BOWES RD.
A1110
PALMERS GREEN
Palmers Green
ALDERMANS HILL
Broomfield Park
Broomfield Ho. Museum
Sports Ground
Bowling Greens
The Avenue
N13
Pymme's Brook
A406 NORTH CIRCULAR RD.
Clockhouse Junction
New Southgate
NEW SOUTHGATE
Friern Bridge Retail Park
Middlesex Univ.
BOUNDS GREEN RD.
A109
Bounds Green
Bowes Park
N22
MUSWELL HILL GOLF COURSE
Hollickwood Park
Scout Park
Recreation Ground
Club House
Woodside Park
ALEXANDRA PARK ROAD
B106
Alexandra Palace
Football Ground
The Lake
Blandford Hall
WOOD GREEN
Wood Green
HIGH RD.
A105
Civic Cen.
15
24
F G H J K
1 2 3 4 5 6 7

24
A
B
C
D
E
1
2
3
4
5
6
7
16
23
N21
N13
N22
PALMERS GREEN
Palmers Green
WOOD GREEN
Wood Green
TOTTENHAM
TOTTENHAM CEMETERY
EDMONTON CEMETERY
Winchmore Sch.
City Amenity Site
Clowes Sports Grd.
Playing Fields
Recreation Ground
Playground
Playing Field Latymer School
Firs Farm Prim. Sch.
West Lea Sch.
Haselbury Jun. & Inf. Schs.
THE PROGRESS CENTRE
Tatem Rec. Grd.
Hollywood Gardens
Aylward School
Lib. Arts Cen. & Thtre
GREAT CAMBRIDGE JUNCTION
NORTH CIRCULAR ROAD
A406
GREAT CAMBRIDGE ROAD
A10
HEDGE LANE
A111
GREEN LANES
A105
BOURNE HILL
STERLING WAY
LORDSHIP LANE
A109
THE ROUNDWAY
A1080
WHITE HART LANE
HIGH RD.
King's Arms Bri.
Pymme's Brook
Wilbury Prim. Sch.
New River Sports and Recreation Centre
Football Ground
White Hart Lane Sch.
Woodside Park
Selby Sports Cen.
LORDSHIP RECREATION GROUND
ENFIELD
HARINGEY
Superstore
Lib.
Sports Ground
Tennis Courts
Schools
New River Sports Ground

25
F
G
H
J
K
17
26
1
2
3
4
5
6
7
Churchfield Prim. Sch.
LOWER EDMONTON
Playing Field
Warehouse
Golf Driving Range
LOCK LANE
PICKETTS
DOMINION BUSINESS PARK
Meadowville Day Cen.
Refuse Disposal Depot
Sewage Works
Edmonton Green
EDMONTON GRN. SHOP. CEN.
Leisure Cen.
Salmon's Brook
Tottenham Park Cemetery
Federation Cemetery (Jewish)
Montagu Rec. Grd.
EDMONTON
ELEYS ESTATE
Warehouse
(Private Road)
Refuse Incineration Plant
River Lee Navigation
Pumping Station
PYMMES PARK
MONTAGU ROAD IND. ESTATE
Craig Park
Silver Street
CONDUIT LANE
Angel Rd.
HALL LANE
LEA VALLEY VIADUCT
ANGEL ROAD WORKS
KENNINGHALL
ADVENT WAY
ANGEL EDMONTON
UPPER EDMONTON
RAVENSIDE RETAIL PARK
HASTINGWOOD TRADING ESTATE
STONEHILL BUSINESS PARK
Superstore
Gas Works
Works
LEA VALLEY TRADING ESTATE
KINGSWAY ESTATE
Aqueduct
Sports Ground
Club Ho.
TRIUMPH TRADING EST.
HOTSPUR IND. EST.
WINGATE TRADING ESTATE
MOWLEM TRADING ESTATE
LEESIDE WORKS
Pymme's Brook
Chalk Bridge
BANBURY RESERVOIR
LEE VALLEY REGIONAL PARK
Valve Tower
Tottenham Hotspur F.C. (White Hart Lane)
Sports Cen.
Recreation Ground
Northumberland Park
Depot
Works
LOCKWOOD RESERVOIR
River Lee Diversion
RIVER LEA or LEE
HARINGEY
WALTHAM FOREST
Stonebridge Locks
Rec. Grd.
Bowling Green
FORE ST.
FORE STREET
HERTFORD ROAD
MONTAGU ROAD
MERIDIAN WAY
WATERMEAD WAY
NORTH CIRCULAR ROAD
ANGEL ROAD
WILLOUGHBY LANE
LANSDOWNE ROAD
HIGH ROAD
BILLET ROAD
A406
A1010
A1055
B137
B154
B179

26
A
B
C
D
E
18
CHINGFORD
1
2
3
4
5
6
7
PICKETTS LOCK LA.
PICKETTS LOCK LA. IND. EST.
Pickett's Lock
WILLIAM GIRLING RESERVOIR
N9
Sewage Works
(Private Road)
River Lee Navigation
River Lee Diversion
Refuse Incineration Plant
Pumping Station
ENFIELD
WALTHAM FOREST
25
HALL LANE
LEA VALLEY VIADUCT
Playground Mansfield Park
MANSFIELD HILL
THE RIDGEWAY
B169
Ridgeway Park
ENDLEBURY
WALTHAM WAY
A1037
SILVERTHORN
BELLESTAINES
PLEASAUNCE
LAMBOURNE GS.
HERIOT AV.
LEADALE AVENUE
BRINDWOOD
RECTORY CL.
PRIORY AVENUE
CHERRYDOWN CL.
MIDDLETON CL.
MARMION CL.
MARMION
HURST CL.
CHURCHILL TERRACE
OLD CHURCH ROAD
A112
WELLINGTON AV.
CHINGFORD AVENUE
Chingford Mount Cemetery
Old Peoples Cen.
ALPHA ROAD
SALISBURY RD.
MOUNT AVENUE
TEMPLETON AVENUE
BROOK CRES.
NEW ROAD
Suffield Hatch
Swim. Pool
HALL LANE
A1009
CHINGFORD MOUNT
NORMANSHIRE
E4
Larkswood Playing Fields
Larks Wood
Larkswood Park
Larkswood Club
LARKSHALL
Chingford Hall Park
Schools
SOUTH CHINGFORD
HAMPTON
BURNHAM ROAD
SINCLAIR ROAD
WESTWARD ROAD
CHINGFORD MOUNT RD.
War Mem. Rec. Grd.
Ainslie Wood Prim. Sch.
Ainslie Wood Nature Reserve
Rolls Sports Grd.
HIGHAMS PARK INDUSTRIAL ESTATE
SOUTHEND ROAD
A406 (NORTH CIRCULAR RD.) ROAD
Banbury Sailing Cen.
The Cottage
Aqueduct
LEA VALLEY TRADING ESTATE
BANBURY RESERVOIR
Valve Tower
Superstore
Playing Field
River Ching
HIGHAM STATION AVENUE
MARLBOROUGH
NELSON
HIGHAMS PARK
Walthamstow Stadium (Greyhound)
Sports Ground
The Peter May Sports Centre
WADHAM
WINCHESTER
B160
Golf Driving Range
Sports Ground
Rec. Ground
CROOKED BILLET
SOUTHEND
FULBOURNE
B179
William Morris Sch.
Whittingham Prim. Sch.
E17
Chapel End
CHINGFORD ROAD
LLOYD PARK
Playing Field
BROOKSCROFT
36
37
38

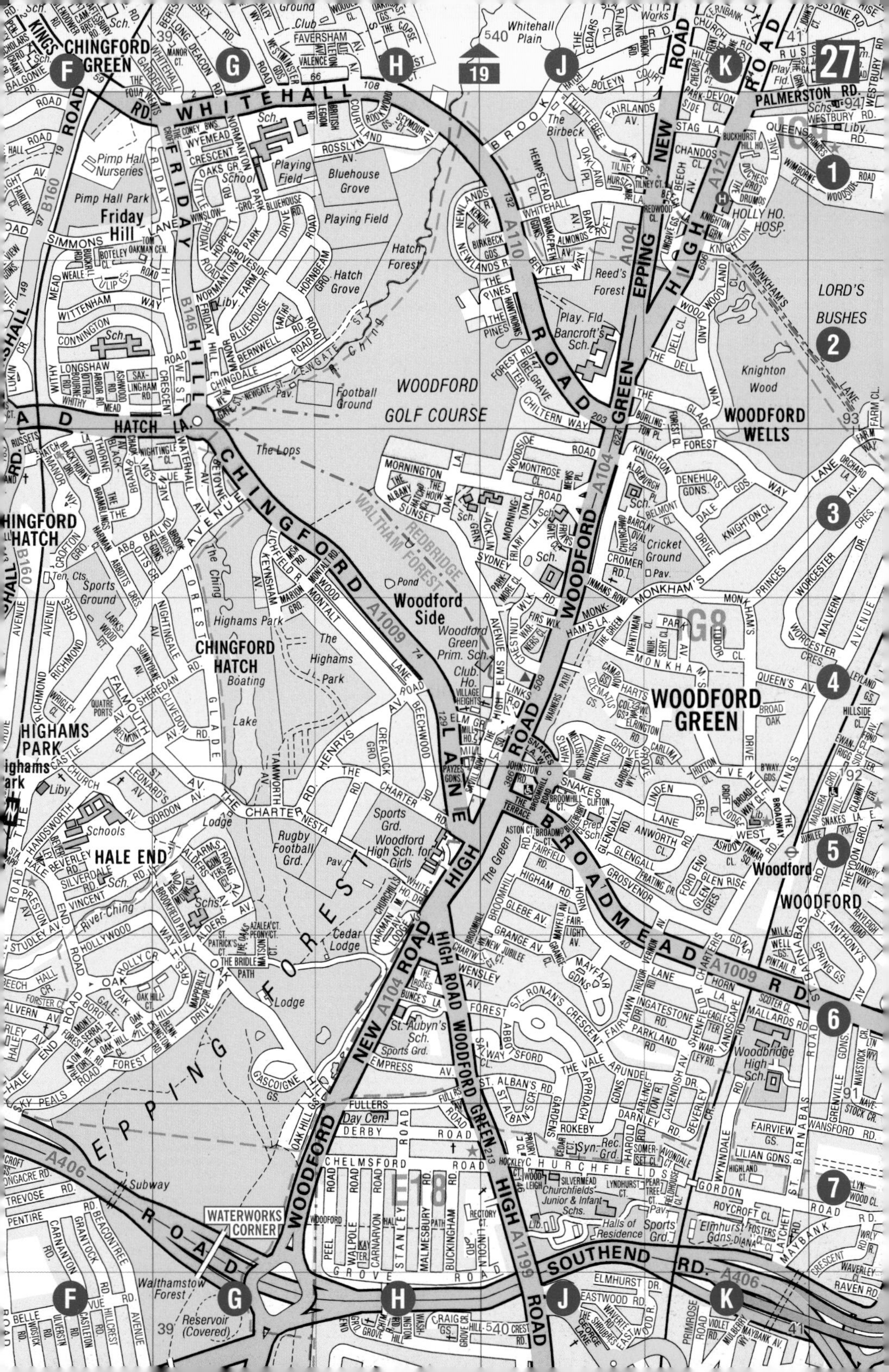
27
19
F
G
H
J
K
1
2
3
4
5
6
7
CHINGFORD GREEN
WHITEHALL RD.
Whitehall Plain
PALMERSTON RD.
Pimp Hall Nurseries
Pimp Hall Park
Friday Hill
FRIDAY HILL
Playing Field
Bluehouse Grove
Hatch Forest
Hatch Grove
The Birbeck
Reed's Forest
HOLLY HO. HOSP.
LORD'S BUSHES
Knighton Wood
WOODFORD WELLS
WOODFORD GOLF COURSE
Football Ground
Bancroft's Sch.
HATCH LA.
CHINGFORD RD.
The Lops
CHINGFORD HATCH
Sports Ground
Highams Park
The Highams Park
Boating Lake
Woodford Side
Woodford Green Prim. Sch.
Cricket Ground
WOODFORD GREEN
IG8
HIGHAMS PARK
HALE END
Schools
Rugby Football Grd.
Sports Grd.
Woodford High Sch. for Girls
Cedar Lodge
Lodge
EPPING FOREST
BROADMEAD RD.
Woodford
WOODFORD
Woodbridge High Sch.
St. Aubyn's Sch.
Churchfields Junior & Infant Schs.
Halls of Residence
Sports Grd.
E18
WATERWORKS CORNER
Walthamstow Forest
Reservoir (Covered)
SOUTHEND RD.
WOODFORD NEW ROAD
HIGH ROAD WOODFORD GREEN
A406
A104
A110
A1009
A1199
A121
B160
B146
WALTHAM FOREST
REDBRIDGE
NEW ROAD
EPPING NEW ROAD
HIGH ROAD

# INDEX

Including Streets, Places & Areas, Hospitals & Hospices, Industrial Estates, Selected Flats & Walkways, Junction Names and Selected Places of Interest.

## HOW TO USE THIS INDEX

1. Each street name is followed by its Posttown or Postal Locality and then by its map reference; e.g. Abbey Rd. *Enf*—4E **16** is in the Enfield Posttown and is to be found in square 4E on page **16**. The page number being shown in bold type.
   A strict alphabetical order is followed in which Av., Rd., St., etc. (though abbreviated) are read in full and as part of the street name; e.g. Ash Ride appears after Ashmore Ct. but before Ashridge Ct.

2. Streets and a selection of Subsidiary names not shown on the Maps, appear in the index in *Italics* with the thoroughfare to which it is connected shown in brackets; e.g. *Acacia Ct. Wal A—2J* ***11*** *(off Lamplighters Clo.)*

3. Places and areas are shown in the index in **bold type**, the map reference to the actual map square in which the Town or Area is located and not to the place name; e.g. **Appleby Street. —1C 2**

4. An example of a selected place of interest is Albany Pk. —6A 10

5. An example of a hospital or hospice is BARNET HOSPITAL. —3F 13

## GENERAL ABBREVIATIONS

All : Alley
App : Approach
Arc : Arcade
Av : Avenue
Bk : Back
Boulevd : Boulevard
Bri : Bridge
B'way : Broadway
Bldgs : Buildings
Bus : Business
Cvn : Caravan
Cen : Centre
Chu : Church
Chyd : Churchyard
Circ : Circle
Cir : Circus
Clo : Close
Comn : Common
Cotts : Cottages
Ct : Court
Cres : Crescent
Cft : Croft
Dri : Drive
E : East
Embkmt : Embankment
Est : Estate
Fld : Field
Gdns : Gardens
Gth : Garth
Ga : Gate
Gt : Great
Grn : Green
Gro : Grove
Ho : House
Ind : Industrial
Info : Information
Junct : Junction
La : Lane
Lit : Little
Lwr : Lower
Mc : Mac
Mnr : Manor
Mans : Mansions
Mkt : Market
Mdw : Meadow
M : Mews
Mt : Mount
Mus : Museum
N : North
Pal : Palace
Pde : Parade
Pk : Park
Pas : Passage
Pl : Place
Quad : Quadrant
Res : Residential
Ri : Rise
Rd : Road
Shop : Shopping
S : South
Sq : Square
Sta : Station
St : Street
Ter : Terrace
Trad : Trading
Up : Upper
Va : Vale
Vw : View
Vs : Villas
Vis : Visitors
Wlk : Walk
W : West
Yd : Yard

## POSTTOWN AND POSTAL LOCALITY ABBREVIATIONS

*Ark* : Arkley
*Barn* : Barnet
*Borwd* : Borehamwood
*Brim* : Brimsdown
*Brox* : Broxbourne
*Buck H* : Buckhurst Hill
*Chesh* : Cheshunt
*Cockf* : Cockfosters
*Cuff* : Cuffley
*E Barn* : East Barnet
*Edgw* : Edgware
*Enf* : Enfield
*G Oak* : Goffs Oak
*Hat* : Hatfield
*High Bar* : High Barnet
*H Bee* : High Beech
*Lou* : Loughton
*New Bar* : New Barnet
*N'thaw* : Northaw
*Pot B* : Potters Bar
*Ridge* : Ridge
*Ridg* : Ridgeway, The
*Shenl* : Shenley
*S Mim* : South Mimms
*Turn* : Turnford
*Wal A* : Waltham Abbey
*Wal X* : Waltham Cross
*Wfd G* : Woodford Green

## INDEX


Abbey Ct. *Wal A*—2D **10**
Abbey Mead Ind. Est. *Wal A*—2E **10**
Abbey Mills. *Wal A*—1D **10**
Abbey Rd. *Enf*—4E **16**
Abbey Rd. *Wal X*—2A **10**
Abbey Vw. *NW7*—2B **20**
Abbey Vw. *Wal A*—1D **10**
Abbotsford Gdns. *Wfd G*—6J **27**
Abbotshall Av. *N14*—2G **23**
Abbots Rd. *Edgw*—6A **20**
Abbotts Cres. *E4*—3F **27**
Abbotts Cres. *Enf*—1B **16**
Abbotts Dri. *Wal A*—1J **11**
Abbotts Rd. *New Bar*—3K **13**
Abercorn Clo. *NW7*—6G **21**
Abercorn Rd. *NW7*—6G **21**
Abercrombie Dri. *Enf*—7G **9**
Aberdale Gdns. *Pot B*—1H **5**
Aberdare Gdns. *NW7*—6F **21**
Aberdare Rd. *Enf*—3J **17**
*Aberdeen Pde. N18—4H* ***25***
*(off Aberdeen Rd.)*
Aberdeen Rd. *N18*—4G **25**
(in two parts)
Abingdon Pl. *Pot B*—1K **5**
Abingdon Rd. *N3*—7A **22**
Abridge Clo. *Wal X*—3K **9**
Acacia Av. *N17*—6D **24**
Acacia Clo. *Chesh*—2C **2**
*Acacia Ct. Wal A—2J* ***11***
*(off Lamplighters Clo.)*
*Acacia Ho. N22—7A* ***24***
*(off Douglas Rd.)*
Acacia Rd. *N22*—7A **24**
Acacia Rd. *Enf*—7D **8**
Acacias, The. *Barn*—4B **14**
Acklington Dri. *NW9*—7A **20**
Acorn Clo. *E4*—4D **26**
Acorn Clo. *Enf*—7B **8**
Acorn Ct. *Wal X*—1K **9**
Acton Clo. *N9*—1G **25**
Acton Clo. *Chesh*—6J **3**
Acworth Clo. *N9*—6J **17**
Adam Rd. *E4*—5B **26**
Adams Clo. *N3*—6J **21**
Adamsfield. *Chesh*—1D **2**
Adamsrill Clo. *Enf*—5D **16**
Addington Dri. *N12*—5B **22**
Addis Clo. *Enf*—7K **9**
Addison Av. *N14*—5F **15**
Addison Rd. *Enf*—7J **9**
Adelaide Clo. *Enf*—6E **8**
Aden Rd. *Enf*—3A **18**
Adlington Clo. *N18*—4E **24**
Advent Way. *N18*—4K **25**
Agnesfield Clo. *N12*—5C **22**
Agricola Pl. *Enf*—4F **17**
Ainsley Clo. *N9*—7E **16**
Ainslie Wood Cres. *E4*—4D **26**
Ainslie Wood Gdns. *E4*—3D **26**
Ainslie Wood Rd. *E4*—4C **26**
Aitken Rd. *Barn*—4E **12**
Alan Dri. *Barn*—5G **13**
Albany. *N12*—5K **21**
Albany Ct. *E4*—5C **18**
(Sewardstone Rd.)
Albany Ct. *E4*—4B **26**
(Westward Rd.)
Albany Ct. *NW9*—7A **20**
Albany Pk. —6A 10
Albany Pk. Av. *Enf*—7J **9**
Albany Rd. *N18*—4J **25**
Albany Rd. *Enf*—5K **9**
Albany, The. *Wfd G*—3H **27**
Albany Vw. *Buck H*—7J **19**
Albemarle Av. *Chesh*—3G **3**
Albemarle Av. *Pot B*—1K **5**
Albemarle Rd. *E Barn*—6C **14**
Alberta Rd. *Enf*—5F **17**
Albert Av. *E4*—3C **26**
Albert Clo. *N22*—7H **23**
Albert Cres. *E4*—3C **26**
Albert Pl. *N3*—7J **21**
Albert Rd. *N22*—7G **23**
Albert Rd. *NW7*—4B **20**
Albert Rd. *Barn*—3A **14**
Albert St. *N12*—4A **22**
*Albert Victoria Ho. N22—7A* ***24***
*(off Pellatt Gro.)*
Albion Av. *N10*—7E **22**
Albion Ter. *E4*—3D **18**
Albuhera Clo. *Enf*—7A **8**
Albury Gro. Rd. *Chesh*—5H **3**
Albury Ride. *Chesh*—6H **3**
Albury Wlk. *Chesh*—5G **3**
(in two parts)
Aldbury M. *N9*—6D **16**
Aldeburgh Pl. *Wfd G*—3J **27**
Aldermans Hill. *N13*—3J **23**
Alderney Ho. *Enf*—6K **9**
Alders Av. *Wfd G*—5G **27**
Aldersbrook Av. *Enf*—1E **16**
Aldersgrove. *Wal A*—2G **11**
Alders, The. *N21*—5A **16**
Aldriche Way. *E4*—5E **26**
Aldridge Av. *Enf*—6C **10**
Aldridge Wlk. *N14*—6J **15**
Alesia Clo. *N22*—6J **23**
Alexander Clo. *Barn*—3B **14**
Alexandra Av. *N22*—7H **23**
Alexandra Ct. *N14*—4G **15**
Alexandra Ct. *Chesh*—5H **3**
Alexandra Gro. *N12*—4K **21**
Alexandra Pal. Way. *N22*—7J **23**
Alexandra Pk. Rd. *N10*—7F **23**
Alexandra Pk. Rd. *N22*—7G **23**
Alexandra Rd. *N9*—6H **17**
Alexandra Rd. *N10*—7F **23**
Alexandra Rd. *Enf*—3K **17**
Alexandra Rd. Ind. Est. *Enf*—3K **17**
Alexandra Way. *Wal X*—2B **10**
Allandale Rd. *Enf*—4K **9**
Allard Clo. *Chesh*—2D **2**
Allens Rd. *Enf*—4J **17**
All Hallows Rd. *N17*—7E **24**
Allington Av. *N17*—5E **24**
Allington Ct. *Enf*—4K **17**
(in two parts)
Allison Clo. *Wal A*—1J **11**
All Saints Clo. *N9*—1G **25**
Allum Way. *N20*—7A **14**
Allwood Rd. *Chesh*—2D **2**

Alma Av. E4—6E 26
Alma Clo. N10—7F 23
Alma Rd. N10—6F 23
Alma Rd. Enf—4A 18
Alma Rd. Ind. Est. Enf—3K 17
Almond Rd. N17—6G 25
Almonds Av. Buck H—1J 27
Almshouse La. Enf—5H 9
Almshouses, The. Chesh—5H 3
(off Turner's Hill)
Alnwick. N17—6H 25
Alpha Rd. E4—2C 26
Alpha Rd. N18—5G 25
Alpha Rd. Enf—3A 18
Alston Rd. N18—4H 25
Alston Rd. Barn—2G 13
Altair Clo. N17—5F 25
Althorp Clo. Barn—6C 12
Alverstone Av. Barn & E Barn—6C 14
Amber Av. E17—7A 26
Amberley Gdns. Enf—6E 16
Amberley Rd. N13—1K 23
Amberley Rd. Enf—6F 17
Ambleside Cres. Enf—2K 17
Amersham Av. N18—5D 24
Amesbury. Wal A—1J 11
Amesbury Ct. Enf—1A 16
Amesbury Dri. E4—5D 18
Amwell Clo. Enf—4D 16
Amwell Ct. Wal A—1H 11
Anchor Clo. Chesh—3H 3
Anchor Ct. Enf—4E 16
Ancient Almshouses. Wal X—5H 3
(off Turner's Hill)
Anderson Clo. N21—4K 15
Anderton Ct. N22—7H 23
Andrew's La. G Oak & Chesh—3C 2
(in two parts)
Aneurin Bevan Ho. N11—6H 23
Angel Clo. N18—4F 25
Angel Corner Pde. N18—3G 25
Angel Edmonton. (Junct.)—3G 25
Angel Pl. N18—3G 25
Angel Rd. N18—4G 25
Angel Rd. Works. N18—4J 25
Anglesey Rd. Enf—3H 17
Anglia Clo. N17—6H 25
Angus Gdns. NW9—7A 20
Anthony Clo. NW7—3A 20
Antlers Hill. E4—4D 18
Anworth Clo. Wfd G—5K 27
Apex Pde. NW7—3A 20
(off Selvage La.)
Appleby Clo. E4—5E 26
**Appleby Street. —1C 2**
Appleby St. Chesh—1B 2
Apple Gro. Enf—2E 16
Appletree Gdns. Barn—3C 14
Applewood Clo. N20—7C 14
(in two parts)
Appleyard Ter. Enf—5J 9
Approach Rd. Barn—3B 14
Approach, The. Enf—1H 17
Arabia Clo. E4—6F 19
Aragon Clo. Enf—6K 7
Arbor Rd. E4—2F 27
Arbour Rd. Enf—2K 17
Arcadia Av. N3—7J 21
Arcadian Gdns. N22—6K 23
Archers Dri. Enf—1J 17
Archgate Bus. Cen. N12—4A 22
Arcon Ter. N9—6G 17
Arden Grange. N12—3A 22
Ardleigh Rd. E17—7B 26
Ardleigh Ter. E17—7B 26
Ardmore La. Buck H—6K 19
Ardmore Pl. Buck H—6K 19
Ardra Rd. N9—2K 25
Arena, The. Enf—6B 10
Argent Way. Chesh—1B 2
Argon Rd. N18—4K 25
Argyle Pas. N17—7F 25
Argyle Rd. N12—4K 21
Argyle Rd. N17—7G 25
Argyle Rd. N18—3G 25
Argyle Rd. Barn—3E 12
**Arkley. —4C 12**
Arkley Dri. Barn—3C 12
Arkley Golf Course. —3B 12
Arkley La. Barn—6B 4
(in two parts)
Arkley Vw. Barn—3D 12
Arlington. N12—2J 21
Arlington Cres. Wal X—2A 10
Arlington M. Wal A—1E 10
(off Sun St.)
Arlington Rd. N14—1F 23
Arlington Rd. Wfd G—7J 27
Arlow Rd. N21—7A 16
Armfield Rd. Enf—7D 8
Armstrong Av. Wfd G—5G 27
Armstrong Cres. Cockf—2B 14
Arncliffe Clo. N11—5E 22
Arnett Sq. E4—5B 26
Arnold Av. E. Enf—6C 10
Arnold Av. W. Enf—6B 10
Arnold Ct. N22—6J 23
Arnold Gdns. N13—4B 24
Arnold Rd. Wal A—3E 10
Arnos Gro. N14—3H 23
Arnos Gro. Ct. N11—4G 23
(off Palmer's Rd.)
Arnos Rd. N11—3G 23
Arrandene Open Space. —5C 20
Artesian Gro. Barn—3A 14
Arthur Rd. N9—1F 25
Arundel Clo. Chesh—3G 3
Arundel Ct. N12—5C 22
Arundel Ct. N17—7G 25
Arundel Dri. Wfd G—6J 27
Arundel Gdns. N21—7A 16
Arundel Gdns. Edgw—6A 20
Arundel Rd. Cockf—2C 14
Ascham Dri. E4—6D 26
Ascham End. E17—7A 26
Ascot Gdns. Enf—5J 9
Ascot Rd. N18—3G 25
Ashbourne Av. N20—1D 22
Ashbourne Clo. N12—3K 21
Ashbourne Ct. N12—3K 21
(off Ashbourne Clo.)
Ashbourne Gro. NW7—4A 20
Ashcroft. N14—1H 23
Ashcroft Ct. N20—1B 22
Ashdon Clo. Wfd G—5K 27
Ashdown Cres. Chesh—3J 3
Ashdowne Ct. N17—7G 25
Ashdown Rd. Enf—1J 17
Asher Loftus Way. N11—5D 22
Ashfield Pde. N14—7H 15
Ashfield Rd. N14—2G 23
Ashford Cres. Enf—1J 17
Ash Gro. N13—2C 24
Ash Gro. Enf—6E 16
Ashingdon Clo. E4—2E 26
Ashleigh Ct. N14—6G 15
Ashleigh Ct. Wal A—2J 11
Ashley Clo. NW4—7E 20
Ashley Ct. NW9—7B 20
(off Guilfoyle)
Ashley Ct. Barn—4A 14
Ashley Gdns. N13—3C 24
Ashley La. NW4—6E 20
(in two parts)
Ashley Rd. E4—5C 26
Ashley Rd. Enf—1J 17
Ashley Wlk. NW7—6F 21
Ashmead. N14—4G 15
Ashmore Ct. N11—5D 22
Ash Ride. Enf—3A 8
Ashridge Ct. N14—4G 15
Ashridge Gdns. N13—4H 23
Ashton Rd. Enf—4A 10
Ashtree Ct. Wal A—2J 11
(off Horseshoe Clo.)
Ashurst Rd. N12—4C 22
Ashurst Rd. Barn—4D 14
Ashwood Rd. E4—2F 27
Ashwood Rd. Pot B—1K 5
Aspen Way. Enf—3K 9
Asplins Rd. N17—7G 25
Asters, The. Chesh—3B 2
Aston Ct. Wfd G—5J 27
Aston Way. Pot B—1B 6
Athenaeum Rd. N20—7A 14
Athole Gdns. Enf—4E 16
Atlas Rd. N11—6E 22
Attfield Clo. N20—1B 22
Auckland Clo. Enf—5H 9
Auckland Rd. Pot B—1G 5
Audley Clo. N10—6F 23
Audley Gdns. Wal A—2E 10
Audley Rd. Enf—1B 16
Audwick Clo. Chesh—3J 3
Austell Gdns. NW7—2A 20
Austin Ct. Enf—4E 16
Autumn Clo. Enf—7G 9
Avalon Clo. Enf—1A 16
Aveling Pk. Rd. E17—7C 26
Avenue Clo. N14—5G 15
Avenue Ct. N14—5G 15
Avenue Ind. Est. E4—5B 26
Avenue Pde. N21—6D 16
Avenue Rd. N12—3A 22
Avenue Rd. N14—6G 15
Avenue, The. E4—5F 27
Avenue, The. N3—7J 21
Avenue, The. N10—7G 23
Avenue, The. N11—4F 23
Avenue, The. Barn—2G 13
Avey La. Wal A & Lou—4F 11
Avion Cres. NW9—7C 20
Avon Ct. E4—7E 18
Avon Ct. N12—4K 21
Avon Ct. Buck H—7K 19
Avondale Av. N12—4K 21
Avondale Av. Barn—7D 14
Avondale Ct. E18—7K 27
Avondale Cres. Enf—2A 18
Avondale Rd. N3—7A 22
Avondale Rd. N13—1A 24
Avril Way. E4—4E 26
Awlfield Av. N17—7D 24
Aylands Rd. Enf—4J 9
Aylesham Clo. NW7—6C 20
Ayley Cft. Enf—4G 17
Azalea Ct. Wfd G—5G 27

Badburgham Ct. Wal A—1H 11
Baddeley Clo. Enf—5C 10
Badgers Clo. Enf—2B 16
Badgers Cft. N20—6G 13
Bagshot Rd. Enf—6F 17
Bailey Clo. E4—3E 26
Bailey Clo. N11—6H 23
Baird Memorial Cotts. N14—1H 23
(off Balaams La.)
Baird Rd. Enf—2H 17
Baisley Ho. Chesh—3E 2
Bakerscroft. Chesh—3J 3
Bakers Hill. New Bar—1K 13
Bakers Rd. Chesh—5F 3
Baker St. Enf—2D 16
Baker St. Pot B—3G 5
Balaams La. N14—1H 23
Baldewyne Ct. N17—7G 25
Bales Ter. N9—2F 25
Balfour Gro. N20—2D 22
Balfour M. N9—2G 25
Balfour Ter. N3—7K 21
Balgonie Rd. E4—7F 19
Balham Rd. N9—1G 25
Ballards La. N3 & N12—7J 21
Balliol Av. E4—3G 27
Balliol Rd. N17—7E 24
Balmoral Av. N11—5E 22
Balmoral Dri. Borwd—3A 12
Balmoral Rd. Enf—4K 9
Balmore Cres. Barn—4E 14
Bamburgh. N17—6H 25
Bampton Dri. NW7—6C 20
Banbury Clo. Enf—7B 8
Banbury Rd. E17—6K 25
Bancroft Av. Buck H—1J 27
Bank Bldgs. E4—5F 27
(off Avenue, The)
Banksia Rd. N18—4J 25
Bankside. Enf—7B 8
Banstead Gdns. N9—2E 24
Banting Dri. N21—4K 15
Banton Clo. Enf—1H 17
Barbel Clo. Wal X—2C 10
Barber Clo. N21—6A 16
Barbot Clo. N9—2G 25
Barclay Oval. Wfd G—3J 27
Barclay Rd. N18—5D 24
Barfield Av. N20—1D 22
Barford Clo. NW4—7C 20
Baring Rd. Cockf—3B 14
Barkham Rd. N17—6D 24
Barnabas Ct. N21—3A 16
Barnard Hill. N10—7F 23
Barnard Lodge. New Bar—3A 14
Barnard Rd. Enf—1H 17
Barnes Rd. N18—3J 25
**Barnet. —2G 13**
Barnet Bus. Cen. Barn—2G 13
Barnet By-Pass. NW7—5B 20
Barnet By-Pass Rd. Borwd & Barn—5A 12
Barnet F.C (Underhill Stadium). —5K 11
**Barnet Gate. —4B 12**
Barnet Ga. La. Barn—5B 12
Barnet Hill. Barn—3H 13
BARNET HOSPITAL. —3F 13
Barnet Ho. N20—1A 22
Barnet La. N20 & Barn—7H 13
Barnet Rd. Ark & Barn—5A 12
Barnet Rd. Pot B & Barn—1K 5
Barnet Trad. Est. High Bar—2H 13
**Barnet Vale. —4K 13**
Barnet Way. NW7—2A 20
Baron Clo. N11—4E 22
Baronet Gro. N17—7G 25
Baronet Rd. N17—7G 25
Barons Ga. Barn—5C 14
Baronsmere Ct. Barn—3G 13
Barras Clo. Enf—5C 10
Barratt Av. N22—7K 23
Barrenger Rd. N10—7D 22
Barrie Ct. New Bar—4A 14
(off Lyonsdown Rd.)
Barrow Clo. N21—2B 24
Barrowell Grn. N21—1B 24
Barrowfield Clo. N9—2H 25
Barrow La. Chesh—5D 2
Barr Rd. Pot B—1A 6
Barrydene. N20—7B 14
Bartholomew Ct. Enf—5A 10
Bartrams La. Barn—6A 6
Bartrop Clo. G Oak—3B 2
Barvin Pk. —1F 7
Basil Spence Ho. N22—7K 23
Bateman Rd. E4—5C 26
Bath Pl. Barn—2H 13
Bath Rd. N9—1H 25
Batley Rd. Enf—7C 8
Bawtry Rd. N20—2D 22
Baxendale. N20—1A 22
Baxter Rd. N18—3H 25
Bayliss Clo. N21—4J 15
Baynes Clo. Enf—7G 9
Bay Tree Clo. Chesh—2D 2
Baytree Ho. E4—6D 18
Bazile Rd. N21—5A 16
Beaconsfield Clo. N11—4E 22
Beaconsfield Rd. N9—2G 25
Beaconsfield Rd. N11—2E 22
Beaconsfield Rd. Enf—5K 9
Beacontree Av. E17—7F 27
Beale Clo. N13—4B 24
Beamish Rd. N9—7G 17
Beardow Gro. N14—5G 15
Beatrice Rd. N9—6J 17
Beatty Rd. Wal X—2B 10
Beaufort Clo. E4—5D 26
Beaufort Ct. N11—4F 23
(off Limes Av., The)
Beaufort Ct. New Bar—4A 14
Beaufoy Rd. N17—6E 24
Beaulieu Dri. Wal A—1D 10
Beaulieu Gdns. N21—6C 16
Beaumont Cen. Chesh—5H 3
Beaumont Pl. Barn—7H 5
Beaumont Vw. Chesh—1B 2
Beckenham Gdns. N9—2E 24
Becket Rd. N18—3J 25
Bedale Rd. Enf—6C 8
Bedford Av. Barn—4H 13
Bedford Clo. N10—6E 22
Bedford Cres. Enf—3A 10
Bedford Rd. N9—6H 17
Bedford Rd. N22—7J 23
Bedford Rd. NW7—1A 20
Bedwell Rd. N17—7E 24
Beech Av. N20—7C 14
Beech Av. Buck H—1K 27
Beech Av. Enf—3A 8
Beech Clo. N9—5G 17
Beechdale. N21—1K 23
Beechfield Wlk. Wal A—3F 11
Beech Hall Cres. E4—6F 27
Beech Hall Rd. E4—6E 26
Beech Hill. Barn—6B 6
Beech Hill Av. Barn—7A 6
Beech Hill Gdns. Wal A—5K 11
Beech Hill Pk. —7B 6
Beech La. Buck H—1K 27
Beech Lawns. N12—4B 22
Beecholme. N12—4K 21

Beecholm M. Chesh —3J 3
(off Lawrence Gdns.)
Beech Rd. N11 —5J 23
Beech Tree Glade. E4 —7H 19
Beechvale Clo. N12 —4C 22
Beech Wlk. NW7 —5A 20
Beechwood Av. Pot B —1K 5
Beechwood Clo. NW7 —4A 20
Beechwood Clo. Chesh —1C 2
Beechwood Dri. Wfd G —4H 27
Beechwood M. N9 —1G 25
Beehive Rd. G Oak —3A 2
Beeston Dri. Chesh —2H 3
Beeston Rd. Barn —5B 14
Beggars Hollow. Enf —5D 8
Belgrave Clo. N14 —4G 15
Belgrave Gdns. N14 —3H 15
Belgrave Ter. Wfd G —2J 27
Belgravia Clo. Barn —2H 13
Bellamy Rd. E4 —5D 26
Bellamy Rd. Chesh —4J 3
Bellamy Rd. Enf —1D 16
Bellestaines Pleasaunce. E4 —1C 26
Bellevue M. N11 —4E 22
Belle Vue Rd. E17 —7F 27
Bellevue Rd. N11 —3E 22
Bellingham. N17 —6H 25
(off Park La.)
Bell La. Enf —6K 9
Bell Rd. Enf —7D 8
Bells Hill. Barn —4F 13
Belmont Av. N9 —7G 17
Belmont Av. N13 —4K 23
Belmont Av. Barn —4D 14
Belmont Clo. E4 —4F 27
Belmont Clo. N20 —7K 13
Belmont Clo. Cockf —3D 14
Belmont Clo. Wfd G —3K 27
Belsize Av. N13 —5K 23
Beltona Gdns. Chesh —2H 3
Bencroft. Chesh —1E 2
Benedictine Ga. Wal X —2J 3
Benfleet Way. N11 —1E 22
Benjafield Clo. N18 —3H 25
Bennetts Clo. N17 —5F 25
Benningholme Rd. Edgw —5A 20
Bennington Rd. E4 —6G 27
Bennington Rd. N17 —7E 24
Bensley Clo. N11 —4D 22
**Bentley Heath. —3H 5**
Bentley Heath La. Barn —2G 5
Bentley Way. Wfd G —2J 27
Beresford Av. N20 —1D 22
Beresford Gdns. Enf —3E 16
Beresford Rd. E4 —7G 19
Beresford Rd. E17 —7D 26
Berkeley Ct. N3 —7K 21
Berkeley Ct. N14 —5G 15
Berkeley Cres. Barn —4B 14
Berkeley Gdns. N21 —6D 16
Berkley Av. Wal X —2K 9
Berkley Pl. Wal X —2K 9
Berkshire Gdns. N13 —5A 24
Berkshire Gdns. N18 —4H 25
Bernard Gro. Wal A —1D 10
Berners Rd. N22 —7A 24
Bernwell Rd. E4 —2G 27
Berrybank Clo. E4 —1E 26
Berry Clo. N21 —7B 16
Berthold M. Wal A —1D 10
Bertram Rd. Enf —3G 17
Bert Way. Enf —3F 17
Berwick Clo. Wal X —2C 10
Berwick Rd. N22 —7B 24
Bethune Av. N11 —3D 22
Betjeman Clo. Chesh —3E 2
Betoyne Av. E4 —3G 27
Betstyle Cir. N11 —3F 23
Betstyle Ho. N10 —6E 22
Betstyle Rd. N11 —3F 23
Bevan Rd. Barn —3D 14
Beverley Clo. N21 —7C 16
Beverley Clo. Enf —3E 16
Beverley Ct. N14 —6G 15
Beverley Cres. Wfd G —7K 27
Beverley Gdns. Chesh —5E 2
Beverley M. E4 —5F 27
Beverley Rd. E4 —5F 27
Bewcastle Gdns. Enf —3J 15
Bewley Clo. Chesh —6H 3
Bexhill Rd. N11 —4H 23
Bexley Gdns. N9 —2D 24
Bicknoller Rd. Enf —7E 8
Bideford Gdns. Enf —6E 16
Bideford Rd. Enf —6B 10
Bidwell Gdns. N11 —6G 23
Bigbury Clo. N17 —6D 24
Biggs Gro. Rd. Chesh —2B 2
**Bignell's Corner. —1D 4**
Bignell's Corner. (Junct.) —2C 4
Bignell's Corner. S Mim —2D 4
Billet Rd. E17 —7K 25
Bill Nicholson Way. N17 —6F 25
(off High Rd.)
Bilton Way. Enf —7A 10
Bincote Rd. Enf —2K 15
Birch Av. N13 —2C 24
Birches, The. N21 —5K 15
Birchfield Rd. Chesh —4F 3
Birch Grn. NW9 —6A 20
Birch Gro. Pot B —1J 5
Birch Ho. N22 —7A 24
(off Acacia Rd.)
Birchwood. Wal A —2G 11
Birchwood Ct. N13 —4B 24
Birkbeck Gdns. Wfd G —1J 27
Birkbeck Rd. N12 —4A 22
Birkbeck Rd. N17 —7F 25
Birkbeck Rd. NW7 —4B 20
Birkbeck Rd. Enf —7D 8
Birley Rd. N20 —1A 22
Birnbeck Ct. Barn —3F 13
Bishop Ct. N12 —3K 21
Bishop Rd. N14 —6F 15
Bishops Clo. Barn —5F 13
Bishops Clo. Enf —1H 17
Bishops Ct. Chesh —5F 3
Bisley Clo. Wal X —1K 9
Bittacy Bus. Cen. NW7 —5G 21
Bittacy Clo. NW7 —5F 21
Bittacy Ct. NW7 —6G 21
Bittacy Hill. NW7 —5F 21
Bittacy Pk. Av. NW7 —4F 21
Bittacy Ri. NW7 —5E 20
Bittacy Rd. NW7 —5F 21
Blackdale. Chesh —2E 2
Black Fan Clo. Enf —7C 8
Blackhorse La. E17 —7K 25
Blackmore Ct. Wal A —1J 11
Blackthorne Dri. E4 —3F 27
Blackwood Ct. Turn —1K 3
Blagdens Clo. N14 —1H 23
Blagdens La. N14 —1H 23
Blakeney Clo. N20 —7A 14
Blake Rd. N11 —6G 23
Blakesware Gdns. N9 —6D 16
Blanchard Gro. Enf —6D 10
Blanche La. S Mim —2B 4
Blandford Cres. E4 —6E 18
Blaxland Ter. Chesh —3H 3
(off Davison Dri.)
Blaydon Clo. N17 —6H 25
Blenheim Clo. N21 —7C 16
Blenheim Rd. Barn —2F 13
Blind La. Lou —1G 19
Blindman's La. Chesh —5H 3
Bloomfield Rd. Chesh —1A 2
Blossom La. Enf —7C 8
Bluebell Dri. Chesh —3B 2
Blueberry Clo. Wfd G —5J 27
Bluehouse Rd. E4 —1G 27
Blundell Rd. Edgw —7A 20
Blydon Ct. N21 —4K 15
(off Chaseville Pk. Rd.)
Boardman Av. E4 —4D 18
Boardman Clo. Barn —4G 13
Bobby Moore Way. N12 —6D 22
Bodiam Clo. Enf —1E 16
Bohun Gro. Barn —5C 14
Boleyn Av. Enf —7H 9
Boleyn Ct. Buck H —7J 19
Boleyn Way. Barn —2A 14
Bolster Gro. N22 —6H 23
Bolton Rd. N18 —4F 25
Bonner Ct. Chesh —3H 3
(off Coopers Wlk.)
Bonney Gro. G Oak —5E 2
Bookbinders Cottage Homes. N20 —2D 22
Booker Rd. N18 —4G 25
Boone Ct. N9 —2J 25
Boothby Ct. E4 —2E 26
Booth Rd. NW9 —7A 20
Borden Av. Enf —5D 16
Boreham Rd. N22 —7C 24
Borrowdale Ct. Enf —7C 8
Bose Clo. N3 —7G 21
Bosgrove. E4 —1E 26
Bosworth Clo. E17 —7B 26
Bosworth Rd. N11 —5H 23
Bosworth Rd. Barn —2J 13
**Botany Bay. —4H 7**
Botany Clo. Barn —3C 14
Boteley Clo. E4 —1F 27
Bough Beech Ct. Enf —5K 9
Bounces La. N9 —1H 25
Bounces Rd. N9 —1H 25
Boundary Clo. Barn —7H 5
Boundary Ct. N18 —5F 25
(off Snells Pk.)
Boundary Rd. N2 —7B 22
Boundary Rd. N9 —5J 17
Boundary Rd. N22 —7C 24
**Bounds Green. —5H 23**
Bounds Grn. Ct. N11 —5H 23
(off Bounds Grn. Rd.)
Bounds Grn. Ind. Est. N11 —5G 23
Bounds Grn. Rd. N11 & N22 —5G 23
Bourne Av. N14 —1J 23
Bourne Av. Barn —4B 14
Bourne Gdns. E4 —3D 26
Bourne Hill. N14 —7J 15
Bourne Hill Clo. N13 —1K 23
Bourneside Cres. N14 —7H 15
Bourne, The. N14 —7H 15
Bournwell Clo. Barn —2D 14
Bouvier Rd. Enf —6J 9
Bovingdon La. NW9 —7A 20
Bower Ct. E4 —7E 18
(off Ridgeway, The)
**Bowes Park. —6J 23**
Bowes Rd. N11 & N13 —4G 23
Bow La. N12 —6A 22
Bowles Grn. Enf —4H 9
Bowood Rd. Enf —1K 17
Boxworth Clo. N12 —4B 22
Brabant Rd. N22 —7K 23
Brabourne Heights. NW7 —2A 20
Brackendale. N21 —1K 23
Brackendale. Pot B —1J 5
Bracken M. E4 —7E 18
Brackens, The. Enf —6E 16
Bracken, The. E4 —1E 26
Brackenwood Lodge. Barn —3J 13
(off Prospect Rd.)
Bracknell Clo. N22 —7A 24
Braddon Ct. Barn —2G 13
Bradford Clo. N17 —5F 25
Bradley Ct. Enf —6A 10
(off Bradley Rd.)
Bradley Rd. N22 —7K 23
Bradley Rd. Enf —6A 10
Bradley Rd. Wal A —3E 10
Bradwell M. N18 —3G 25
Braeburn Ct. Barn —3B 14
Braemar Av. N22 —7J 23
Braemar Gdns. NW9 —7A 20
Braithwaite Rd. Enf —2B 18
Bramber Rd. N12 —4C 22
Brambles, The. Chesh —6H 3
Bramblings, The. E4 —3F 27
Bramford Ct. N14 —1H 23
Bramley Clo. N14 —4F 15
Bramley Ct. E4 —7E 18
(off Ridgeway, The)
Bramley Ct. Barn —3C 14
Bramley Ho. Ct. Enf —5D 8
Bramley Pde. N14 —3G 15
Bramley Rd. N14 —4F 15
Bramley Shaw. Wal A —1H 11
Brampton Clo. Chesh —3E 2
Brancaster Dri. NW7 —6C 20
Brancepeth Gdns. Buck H —1J 27
Brancroft Way. Enf —7A 10
Brandon. NW9 —7B 20
(off Further Acre)
Brandon Clo. Chesh —1C 2
Brandt Ct. Borwd —1A 12
(off Elstree Way)
Branksome Av. N18 —5F 25
Branscombe Gdns. N21 —6A 16
Brantwood Gdns. Enf —3J 15
Brantwood Rd. N17 —5G 25
Bray Lodge. Chesh —3J 3
(off High St.)
Bray Rd. NW7 —5F 21
Brays Springs. Wal A —2G 11
Brayton Gdns. Enf —3H 15
Bread & Cheese La. Chesh —1B 2
Brecon Rd. Enf —3J 17
Breeze Ter. Chesh —3H 3
Brendon Vs. N21 —7C 16
Brendon Way. Enf —6E 16
Brent Pl. Barn —4H 13
Brent Way. N3 —5J 21
Brereton Rd. N17 —6F 25
Bressey Av. Enf —7G 9
Brett Ct. N9 —1J 25
Brettenham Av. E17 —7C 26
Brettenham Rd. E17 —7C 26
Brettenham Rd. N18 —3G 25
Brett Ho. Chesh —3H 3
Brett Rd. Barn —4E 12
Briar Clo. N13 —2C 24
Briar Clo. Chesh —4G 3
Briaris Clo. N17 —6H 25
Briars, The. Chesh —6J 3
Briarswood. G Oak —3B 2
Briary La. N9 —2F 25
Brickcroft. Brox —1J 3
Brickenden Ct. Wal A —1H 11
Brickfield La. Ark —5B 12
Brick La. Enf —1H 17
Bridge Clo. Enf —1H 17
**Bridgedown Golf Course. —7E 4**
Bridge Dri. N13 —3K 23
Bridge End. E17 —7E 26
Bridgefoot La. Pot B —1E 4
(in two parts)
Bridge Ga. N21 —6C 16
Bridgend Rd. Enf —3J 9
Bridgenhall Rd. Enf —7F 9
Bridge Pde. N21 —6C 16
(off Ridge Av.)
Bridge Rd. N9 —2G 25
Bridge Rd. N22 —7J 23
Bridge Way. N11 —2G 23
Bridle Clo. Enf —5B 10
Bridle Path, The. E4 —6G 27
Bridlington Rd. N9 —6H 17
Bridport Rd. N18 —4E 24
Brierley Av. N9 —7J 17
Brigadier Av. Enf —6C 8
Brigadier Hill. Enf —6C 8
Brightside, The. Enf —7K 9
**Brimsdown. —1A 18**
Brimsdown Av. Enf —1A 18
Brimsdown Ind. Est. Brim —1B 18
Brimsdown Ind. Est. Enf —7B 10
Brindwood Rd. E4 —2B 26
Brinley Clo. Chesh —6H 3
Briston M. NW7 —6C 20
Britannia Bus. Pk. Wal X —2B 10
Britannia Rd. N12 —2A 22
Britannia Rd. Wal X —2B 10
British Legion Rd. E4 —1H 27
Broadbury Ct. N18 —5H 25
Broadfields. G Oak —4A 2
Broadfields Av. N21 —5A 16
Broadfield Sq. Enf —1H 17
Broadgate. Wal A —1H 11
Broadgates Av. Barn —7K 5
Broadgreen Rd. Chesh —1B 2
Broadhead Strand. NW9 —7B 20
Broadlands Av. Enf —2H 17
Broadlands Clo. Enf —2J 17
Broadlands Clo. Wal X —2J 9
Broadmead Ct. Wfd G —5J 27
Broadmead Rd. Wfd G —5J 27
Broad Oak. Wfd G —4K 27
Broadoak Av. Enf —3K 9
Broad Oak Clo. E4 —4C 26
Broad Wlk. N21 —1K 23
Broadwater Rd. N17 —7E 24
Broadway Clo. Wfd G —5K 27
Broadway Gdns. Wfd G —5K 27
Broadway M. N13 —4K 23
Broadway M. N21 —7B 16
Broadway Pde. E4 —5E 26
Broadway, The. E4 —5F 27
Broadway, The. N9 —2G 25
Broadway, The. N11 —4E 22
(off Stanford Rd.)
Broadway, The. N14 —7H 15
(off Southgate Cir.)
Broadway, The. NW7 —6C 20
(off Colenso Dri.)
Broadway, The. NW7 —4A 20
(Watford Way)
Broadway, The. Pot B —1J 5
(in two parts)
Broadway, The. Wfd G —5K 27

Brockenhurst Gdns. *NW7*—4A **20**
Brockenhurst M. *N18*—3G **25**
Brodie Rd. *E4*—7E **18**
Brodie Rd. *Enf*—6C **8**
Bromefield Ct. *Wal A*—1J **11**
Bromleigh Clo. *Chesh*—3J **3**
Bromley Rd. *N17*—7F **25**
Bromley Rd. *N18*—2D **24**
Bronhill Ter. *N17*—7G **25**
Brook Bank. *Enf*—5H **9**
Brook Clo. *NW7*—6G **21**
Brook Cres. *E4*—3C **26**
Brook Cres. *N9*—3H **25**
Brookdale. *N11*—3G **23**
Brooker Rd. *Wal A*—2E **10**
(in two parts)
Brookfield Av. *NW7*—5D **20**
Brookfield Cen. *Chesh*—2H **3**
Brookfield Clo. *NW7*—5D **20**
Brookfield Ct. *Chesh*—2H **3**
Brookfield Cres. *NW7*—5D **20**
Brookfield Gdns. *Chesh*—2H **3**
Brookfield La. E. *Chesh*—2H **3**
Brookfield La. W. *Chesh*—3F **3**
(in two parts)
Brookfield Path. *Wfd G*—5G **27**
Brookfield Retail Pk. *Chesh*—1H **3**
Brookfield Rd. *N9*—2G **25**
Brookfields. *Enf*—3K **17**
Brook Gdns. *E4*—3D **26**
Brookhill Clo. *E Barn*—4C **14**
Brookhill Rd. *Barn & E Barn*—4C **14**
Brookhouse Gdns. *E4*—3G **27**
Brooklands Ct. *N21*—4D **16**
Brooklea Clo. *NW9*—7A **20**
Brook Mdw. *N12*—2K **21**
Brook Mdw. Clo. *Wfd G*—5G **27**
Brook Pk. Clo. *N21*—4B **16**
Brook Pl. *Barn*—4J **13**
Brook Rd. *N2*—6C **22**
Brook Rd. *Buck H*—1J **27**
Brook Rd. *Wal X*—2B **10**
Brookscroft Rd. *E17*—7D **26**
(in two parts)
Brookside. *N21*—5K **15**
Brookside. *E Barn*—5C **14**
Brookside. *Wal A*—1G **11**
Brookside Clo. *Barn*—5G **13**
Brookside Gdns. *Enf*—5J **9**
Brookside Rd. *N9*—3H **25**
(in two parts)
Brookside S. *E Barn*—6E **14**
Brookside Wlk. *N3*—7G **21**
Brookside Wlk. *N12*—5J **21**
Brookview Ct. *Enf*—4E **16**
Brook Wlk. *N2*—7B **22**
Broom Clo. *Chesh*—2E **2**
Broomer Pl. *Chesh*—4G **3**
Broomfield Av. *N13*—4K **23**
Broomfield Av. *Brox*—1J **3**
Broomfield La. *N13*—3J **23**
Broomfield Rd. *N13*—4J **23**
Broomhill Ct. *Wfd G*—5J **27**
Broomhill Rd. *Wfd G*—5J **27**
(in two parts)
Broomhill Wlk. *Wfd G*—5H **27**
Broomstick Hall Rd. *Wal A*—1G **11**
Browning Rd. *Enf*—5D **8**
*Brownlow Ct. N11—5J 23*
*(off Brownlow Rd.)*
Brownlow Rd. *N3*—6K **21**
Brownlow Rd. *N11*—5J **23**
Brownswell Rd. *N2*—7B **22**
*Bruce Castle Ct. N17—7F 25*
*(off Lordship La.)*
**Bruce Castle Mus. —7E 24**
Bruce Castle Rd. *N17*—7F **25**
Bruce Gdns. *N20*—2D **22**
Bruce Gro. *N17*—7E **24**
Bruce Rd. *Barn*—2G **13**
Bruce Way. *Wal X*—1K **9**
Brunswick Av. *N11*—2E **22**
(in two parts)
Brunswick Ct. *Barn*—4B **14**
Brunswick Cres. *N11*—2E **22**
Brunswick Gro. *N11*—2E **22**
Brunswick Ho. *N3*—7H **21**
Brunswick Ind. Pk. *N11*—3F **23**
**Brunswick Park. —2E 22**
Brunswick Pk. Gdns. *N11*—1E **22**
Brunswick Pk. Rd. *N11*—1E **22**
Brunswick Rd. *Enf*—6C **10**
Brunswick Sq. *N17*—5F **25**
Brunswick Way. *N11*—3F **23**
Bryanstone Rd. *Wal X*—2B **10**
Bryant Clo. *Barn*—4H **13**
Brycedale Cres. *N14*—3G **23**
Brynmawr Rd. *Enf*—3F **17**
Buchanan Clo. *N21*—4K **15**
Buckettsland La. *Borwd*—5A **4**
Buckhurst Hill Ho. *Buck H*—1K **27**
Buckingham Av. *N20*—6A **14**
Buckingham Clo. *Enf*—1E **16**
Buckingham Rd. *E18*—7H **27**
Buckingham Rd. *N22*—7J **23**
Buckrell Rd. *E4*—1F **27**
Buckstone Rd. *N18*—4G **25**
Budd Clo. *N12*—3K **21**
Buller Rd. *N22*—7A **24**
Bull La. *N18*—4E **24**
**Bulls Cross. —3G 9**
Bull's Cross. *Enf*—3G **9**
Bulls Cross Ride. *Wal X*—1G **9**
**Bullsmoor. —3J 9**
Bullsmoor Clo. *Wal X*—3J **9**
Bullsmoor Gdns. *Wal X*—3H **9**
Bullsmoor La. *Enf*—3G **9**
Bullsmoor Ride. *Wal X*—3J **9**
Bullsmoor Way. *Wal X*—3J **9**
Bullwell Cres. *Chesh*—4J **3**
Bulwer Gdns. *Barn*—3A **14**
Bulwer Rd. *N18*—3E **24**
Bulwer Rd. *Barn*—3K **13**
Bunce's La. *Wfd G*—6H **27**
Bunns La. *NW7*—5A **20**
(in two parts)
Bunting Clo. *N9*—7K **17**
Burbage Clo. *Chesh*—6K **3**
Bure Ct. *New Bar*—4K **13**
Burford Gdns. *N13*—2K **23**
Burgess Clo. *Chesh*—1A **2**
Burleigh Gdns. *N14*—7G **15**
Burleigh Pde. *N14*—7H **15**
Burleigh Rd. *Chesh*—7J **3**
Burleigh Rd. *Enf*—3E **16**
Burleigh Way. *Enf*—2D **16**
Burley Clo. *E4*—4C **26**
Burlington Pl. *Wfd G*—2K **27**
Burlington Ri. *E Barn*—7C **14**
Burlington Rd. *N17*—7G **25**
Burlington Rd. *Enf*—7D **8**
Burnbrae Clo. *N12*—5K **21**
Burncroft Av. *Enf*—1J **17**
Burnham Clo. *NW7*—6C **20**
Burnham Clo. *Enf*—6E **8**
Burnham Rd. *E4*—4B **26**
Burn Side. *N9*—2J **25**
Burnside Av. *E4*—5B **26**
Burnside Clo. *Barn*—2J **13**
Burntfarm Ride. *Enf & Wal X*—2A **8**
Bursland Rd. *Enf*—3K **17**
Burton Dri. *Enf*—5C **10**
Burton Grange. *Chesh*—2C **2**
Burtonhole Clo. *NW7*—3F **21**
Burtonhole La. *NW7*—4E **20**
(in two parts)
Burton La. *Chesh & G Oak*—4C **2**
**Bury Green. —6E 2**
Bury Grn. Rd. *Chesh*—6E **2**
(in two parts)
Bury Hall Vs. *N9*—6F **17**
Bury Rd. *E4*—2F **19**
Bury St. *N9*—6F **17**
Bury St. W. *N9*—6D **16**
Bushbarns. *Chesh*—4E **2**
Bush Ct. *N14*—7H **15**
Bushey Clo. *E4*—2E **26**
Bush Fair Ct. *N14*—5F **15**
Bush Hill. *N21*—6C **16**
Bush Hill Pde. *N9*—6D **16**
**Bush Hill Park. —5F 17**
**Bush Hill Pk. —3F 17**
**Bush Hill Pk. Golf Course. —4C 16**
Bush Hill Rd. *N21*—5D **16**
Business Innovation Cen. *Enf*—4B **10**
Butlers Dri. *E4*—6E **10**
Butterfield Clo. *N17*—5C **24**
Butterworth Gdns. *Wfd G*—5J **27**
Buxted Rd. *N12*—4C **22**
Buxton Rd. *E4*—6F **19**
Buxton Rd. *Wal A*—1J **11**
Byculllah Av. *Enf*—2B **16**
Byculllah Rd. *Enf*—1B **16**
Byers Clo. *Pot B*—2A **6**
Byford Ho. *Barn*—3F **13**
Byland Clo. *N21*—6K **15**
Byng Rd. *Barn*—1F **13**
Byre Rd. *N14*—5F **15**
Byron Clo. *Wal X*—2D **2**
Byron Ct. *Chesh*—3F **3**
Byron Ct. *Enf*—1B **16**
Byron Rd. *NW7*—4C **20**
Byron Ter. *N9*—5J **17**
Byway, The. *Pot B*—1J **5**

**C**abinet Way. *E4*—5B **26**
Caddington Clo. *Barn*—4C **14**
Cadmore Ct. *Chesh*—3H **3**
Cadmore La. *Chesh*—3H **3**
Cadogan Gdns. *N3*—7K **21**
Cadogan Gdns. *N21*—4A **16**
Caldbeck. *Wal A*—2F **11**
Caldecot Av. *Chesh*—4D **2**
Calder Clo. *Enf*—2E **16**
Caldew Ct. *NW7*—6C **20**
Callard Av. *N13*—3B **24**
Calshot Way. *Enf*—2B **16**
Calton Rd. *New Bar*—5A **14**
Calvert Rd. *Barn*—1F **13**
Camberley Av. *Enf*—3E **16**
Cambourne Av. *N9*—6K **17**
Cambrai Ct. *N13*—2J **23**
Cambridge Clo. *N22*—7A **24**
Cambridge Clo. *Chesh*—4G **3**
Cambridge Gdns. *N10*—7E **22**
Cambridge Gdns. *N17*—6D **24**
Cambridge Gdns. *N21*—6D **16**
Cambridge Gdns. *Enf*—1G **17**
Cambridge Pde. *Enf*—7G **9**
Cambridge Rd. *E4*—7F **19**
Cambridge Ter. *N9*—6E **16**
Cambstone Clo. *N11*—1E **22**
Cameron Clo. *N18*—3H **25**
Cameron Clo. *N20*—1B **22**
Cameron Dri. *Wal X*—2K **9**
Camlet Way. *Barn*—1J **13**
Campbell Ct. *N17*—7F **25**
Campbell Rd. *N17*—7F **25**
Campe Ho. *N10*—6E **22**
Campine Clo. *Chesh*—3H **3**
Campion Gdns. *Wfd G*—4J **27**
Canada Av. *N18*—5C **24**
Canada La. *Brox*—1J **3**
(in two parts)
Canadas, The. *Brox*—1J **3**
Candlestick La. *Chesh & Brox*—1F **3**
Caneland Ct. *Wal A*—2H **11**
Canford Clo. *Enf*—1A **16**
Canning Cres. *N22*—7K **23**
Cannon Hill. *N14*—2J **23**
Cannon Hill M. *N14*—2J **23**
Cannon M. *Wal A*—1D **10**
Cannon Rd. *N14*—2J **23**
Cannons Ga. *Chesh*—1K **3**
Canonbury Rd. *Enf*—7E **8**
Canon Mohan Clo. *N14*—5E **14**
Cantrel Lodge. *Enf*—4K **9**
Capel Clo. *N20*—2A **22**
Capel Rd. *Barn*—5C **14**
Capel Rd. *Enf*—4H **9**
Capstan Ride. *Enf*—1A **16**
*Caradoc Evans Clo. N11—4F 23*
*(off Springfield Rd.)*
Carbis Clo. *E4*—7F **19**
Carbuncle Pas. Way. *N17*—7G **25**
Cardiff Rd. *Enf*—3H **17**
Cardinal Clo. *Chesh*—1D **2**
Cardrew Av. *N12*—4B **22**
Cardrew Clo. *N12*—4C **22**
Cardrew Ct. *N12*—4B **22**
Carisbrooke Clo. *Enf*—7F **9**
Carleton Rd. *Chesh*—3H **3**
Carlina Gdns. *Wfd G*—4K **27**
Carlisle Pl. *N11*—3F **23**
Carlton Av. *N14*—4H **15**
Carlton Clo. *Borwd*—3A **12**
Carlton Rd. *E17*—7A **26**
Carlton Rd. *N11*—4E **22**
Carlton Ter. *N18*—2D **24**
Carnanton Rd. *E17*—7F **27**
Carnarvon Av. *Enf*—2F **17**
Carnarvon Rd. *E18*—7H **27**
Carnarvon Rd. *Barn*—2G **13**
Carnegie Clo. *Enf*—6D **10**
Caroe Ct. *N9*—7H **17**
Carpenter Gdns. *N21*—1B **24**
Carpenters Clo. *Barn*—5K **13**
Carpenters Rd. *Enf*—4J **9**
Carpenter Way. *Pot B*—1A **6**
Carrick Gdns. *N17*—6E **24**
Carrington Clo. *Ark*—4C **12**
Carr Rd. *E17*—7B **26**
Carrs La. *N21*—4C **16**
Carson Rd. *Cockf*—3D **14**
Carterhatch La. *Enf*—6F **9**
Carterhatch Rd. *Enf*—7J **9**
Cartersfield Rd. *Wal A*—2E **10**
Cart La. *E4*—7G **19**
Cartmel Clo. *N17*—6H **25**
Cassandra Ga. *Chesh*—2K **3**
Castile Ct. *Wal X*—1C **10**
Castle Av. *E4*—4F **27**
Castleford Clo. *N17*—5F **25**
Castleleigh Ct. *Enf*—4D **16**
Castle M. *N12*—4A **22**
Castle Rd. *N12*—4A **22**
Castle Rd. *Enf*—7A **10**
Castleton Rd. *E17*—7F **27**
Castlewood Rd. *Cockf*—2B **14**
*Catalin Ct. Wal A—1F 11*
*(off Howard Clo.)*
Caterham Ct. *Wal A*—2H **11**
Catherine Ct. *N14*—4G **15**
Catherine Rd. *Enf*—5A **10**
Cat Hill. *Barn*—5C **14**
Catisfield Rd. *Enf*—5A **10**
Catterick Clo. *N11*—5E **22**
**Cattlegate. —1J 7**
Cattlegate Hill. *Cuff & Enf*—1H **7**
Cattley Clo. *Barn*—3G **13**
Cattlins Clo. *Chesh*—4D **2**
Causeyware Rd. *N9*—6J **17**
Cavell Dri. *Enf*—1A **16**
Cavell Rd. *N17*—6D **24**
Cavell Rd. *Chesh*—2D **2**
Cavendish Av. *Wfd G*—7K **27**
Cavendish Clo. *N18*—4H **25**
Cavendish Rd. *E4*—5E **26**
Cavendish Rd. *N18*—4H **25**
Cavendish Rd. *Barn*—2E **12**
Caversham Av. *N13*—2A **24**
Caversham Ct. *N11*—1E **22**
Cazenove Rd. *E17*—7C **26**
Cecil Av. *Enf*—3F **17**
Cecil Ct. *Barn*—2F **13**
Cecil Ct. *Enf*—3D **16**
Cecil Ho. *E17*—7C **26**
Cecil Rd. *E17*—7C **26**
Cecil Rd. *N10*—7F **23**
Cecil Rd. *N14*—7G **15**
Cecil Rd. *Chesh*—7J **3**
Cecil Rd. *Enf*—2C **16**
Cedar Av. *Barn*—6C **14**
Cedar Av. *Enf*—1J **17**
Cedar Av. *Wal X*—1K **9**
Cedar Ct. *E18*—7J **27**
Cedar Ct. *N10*—7E **22**
Cedar Ct. *N11*—4G **23**
Cedar Ct. *N20*—7B **14**
Cedar Grange. *Enf*—4E **16**
*Cedar Ho. N22—7A 24*
*(off Acacia Rd.)*
Cedar Lawn Av. *Barn*—4G **13**
Cedar Lodge. *Chesh*—3H **3**
Cedar Pk. Rd. *Enf*—6C **8**
Cedar Ri. *N14*—6E **14**
Cedar Rd. *N17*—7F **25**
Cedar Rd. *Enf*—6B **8**
Cedars Ct. *N9*—1E **24**
Cedars Rd. *N9*—1G **25**
Cedars Rd. *N21*—1B **24**
Cedars, The. *Buck H*—7J **19**
Cedar Wlk. *Wal A*—2F **11**
Celadon Clo. *Enf*—2A **18**
Celandine Ct. *E4*—2D **26**
Cemetery Rd. *N17*—6E **24**
Centenary Rd. *Enf*—3B **18**
Centenary Trad. Est. *Enf*—2B **18**
Central Av. *N9*—2E **24**
Central Av. *Enf*—1H **17**
Central Av. *Wal X*—1A **10**
Central Pde. *Enf*—1J **17**
Centre Av. *N2*—7C **22**
Centre Way. *E17*—6E **26**
Centre Way. *N9*—1J **25**
Chace Av. *Pot B*—1B **6**
Chadbury Ct. *NW7*—6C **20**
Chadwell Av. *Chesh*—3G **3**
Chadwick Av. *E4*—3F **27**
Chadwick Av. *N21*—4K **15**
Chaffinch Clo. *N9*—7K **17**

Chailey Av. Enf—1F 17
Chalet Est. NW7—3C 20
Chalfont Grn. N9—2E 24
Chalfont Rd. N9—2E 24
Chalgrove Rd. N17—7H 25
Chalk La. Barn & Cockf—2D 14
Chalkmill Dri. Enf—2H 17
Chalkwell Pk. Av. Enf—3E 16
Chamberlain Rd. N9—2G 25
Chambers Gdns. N2—7B 22
Chanctonbury Way. N12—3H 21
Chandos Av. N14—2G 23
Chandos Av. N20—7A 14
Chandos Clo. Buck H—1K 27
Chandos Ct. N14—1H 23
Chantry Clo. NW7—5B 12
Chantry Clo. Enf—6C 8
Chantry, The. E4—7E 18
**Chapel End. —7C 26**
Chapel Hill. N2—7C 22
Chapel Pl. N17—6F 25
Chapel Stones. N17—7F 25
Chapel St. Enf—2C 16
Chaplin Sq. N12—6B 22
Chapmans Grn. N22—7A 24
*Chapman Ter. N22—7B 24*
*(off Perth Rd.)*
Charcroft Gdns. Enf—3K 17
*Charles Bradlaugh Ho. N17—6H 25*
*(off Haynes Clo.)*
Charle Sevright Dri. NW7—4F 21
*Charles Ho. N17—6F 25*
*(off Love La.)*
Charles St. Enf—4F 17
Charlie Brown's Roundabout. (Junct.)—7K 27
Charlton Rd. N9—7K 17
Charnwood Pl. N20—2A 22
Charnwood Rd. Enf—4H 9
Charter Ct. N22—7H 23
Charteris Rd. Wfd G—6K 27
Charter Rd., The. Wfd G—5G 27
Charter Way. N14—5G 15
Chartridge Clo. Barn—4C 12
Chartwell Clo. Wal A—1G 11
Chartwell Ct. Barn—3G 13
Chartwell Ct. Wfd G—6H 27
*Chase Bank Ct. N14—5G 15*
*(off Avenue Rd.)*
Chase Ct. Gdns. Enf—2C 16
CHASE FARM HOSPITAL. —6A 8
Chase Gdns. E4—3C 26
Chase Grn. Enf—2C 16
Chase Grn. Av. Enf—1B 16
Chase Hill. Enf—2C 16
Chase Ridings. Enf—1A 16
Chase Rd. N14—4G 15
**Chase Side. —1C 16**
Chase Side. N14—5E 14
Chase Side. Enf—2C 16
Chase Side Av. Enf—1C 16
Chase Side Cres. Enf—7C 8
Chase Side Pl. Enf—1C 16
Chase Side Works Ind. Est. N14—6H 15
Chase, The. G Oak—3A 2
Chaseville Pde. N21—4K 15
Chaseville Pk. Rd. N21—4J 15
Chase Way. N14—1F 23
Chasewood Av. Enf—1B 16
Chatham Rd. E18—7H 27
Chatsworth Dri. Enf—6G 17
Chaucer Clo. N11—4G 23
Chaucer Ct. New Bar—4K 13
Chaucer Ho. Barn—3F 13
Chaucer Rd. E17—7E 26
Chauncey Clo. N9—2G 25
Chauncy Av. Pot B—1A 6
Chaville Ho. N11—3E 22
Cheapside. N13—3D 24
Cheddar Clo. N11—5D 22
Cheddington Rd. N18—2E 24
*Chelmsford Ct. N14—6H 15*
*(off Chelmsford Rd.)*
Chelmsford Rd. E18—7H 27
Chelmsford Rd. N14—6G 15
Chelsfield Av. N9—6K 17
Chelsfield Grn. N9—6K 17
Chelwood. N20—1B 22
Chelwood Clo. E4—5D 18
Cheney Row. E17—7B 26
Chequers. Buck H—7K 19
Chequers Pde. N13—4C 24
Chequers Wlk. Wal A—1H 11
Chequers Way. N13—4B 24
Cheriton Clo. Barn—2D 14
Cherry Blossom Clo. N13—4B 24
Cherrydown Av. E4—2B 26
Cherrydown Clo. E4—2C 26
Cherry Hill. New Bar—5K 13
Cherry Rd. Enf—6J 9
Cherry Tree Ho. N22—6J 23
Cherry Tree La. Pot B—2K 5
Cheshire Clo. E17—7D 26
Cheshire Rd. N22—6K 23
**Cheshunt. —3H 3**
CHESHUNT COMMUNITY HOSPITAL. —6J 3
Cheshunt Golf Course. —2G 3
Cheshunt Wash. Chesh—2J 3
Chesnut Row. N3—6J 21
*Chestbrook Ct. Enf—4E 16*
*(off Forsyth Pl.)*
*Chesterfield Flats. Barn—4F 13*
*(off Bells Hill)*
*Chesterfield Lodge. N21—6K 15*
*(off Church Hill)*
Chesterfield Rd. N3—5J 21
Chesterfield Rd. Barn—4F 13
Chesterfield Rd. Enf—5A 10
Chester Gdns. Enf—5H 17
Chester Rd. N9—7H 17
Chesthunte Rd. N17—7C 24
Chestnut Clo. N14—4G 15
Chestnut Gro. Barn—4D 14
Chestnut La. N20—7G 13
Chestnut Rd. Enf—4A 10
Chestnut Wlk. Wfd G—4J 27
Chetwynd Av. E Barn—7D 14
*Cheviot. N17—6H 25*
*(off Northumberland Gro.)*
Cheviot Clo. Enf—1D 16
Cheyne Wlk. N21—4B 16
Chichester Rd. N9—7G 17
Chicken Shed Theatre. —4E 14
Chiddingfold. N12—2J 21
Chiltern Ct. N10—7E 22
Chiltern Ct. New Bar—4A 14
Chiltern Dene. Enf—3K 15
Chiltern Way. Wfd G—2J 27
*Chilton Ct. N22—6J 23*
*(off Truro Rd.)*
Chimes Av. N13—4A 24
Chine, The. N21—5B 16
Chingdale Rd. E4—2G 27
**Chingford. —6G 19**
Chingford Av. E4—2C 26
**Chingford Green. —7F 19**
Chingford Hall Est. E4—5B 26
**Chingford Hatch. —3F 27**
Chingford Ind. Est. E4—3A 26
Chingford La. Wfd G—3G 27
**Chingford Mount. —3C 26**
Chingford Mt. Rd. E4—3C 26
Chingford Rd. E4—5C 26
Chingford Rd. E17—7D 26
Ching Way. E4—5B 26
(in two parts)
Chinnery Clo. Enf—7F 9
**Chipping Barnet. —3G 13**
Chipping Clo. Barn—2G 13
Chislehurst Av. N12—6A 22
Chiswick Rd. N9—1G 25
Chivers Rd. E4—2D 26
Christchurch Av. N12—5A 22
Christchurch Clo. N12—6B 22
Christchurch La. Barn—1G 13
Christchurch Lodge. Barn—3D 14
Christchurch Pas. High Bar—1G 13
Christie Rd. Wal A—3D 10
Christine Worsley Clo. N21—7B 16
Church Av. E4—5F 27
Church Av. N2—7B 22
Churchbury Clo. Enf—1E 16
Churchbury La. Enf—2D 16
Churchbury Rd. Enf—1E 16
Church Clo. N20—2C 22
Church Cres. N3—7H 21
Church Cres. N20—2C 22
**Church End. —7H 21**
Churchfield Av. N12—5B 22
Church Fld. Path. Chesh—4G 3
(in two parts)
Churchfields. E18—7J 27
Churchfield Way. N12—5A 22
**Churchgate. —5F 3**
Churchgate. Chesh—4F 3
Churchgate Rd. Chesh—4F 3
Church Hill. N21—6K 15
Church Hill Rd. Barn & E Barn—5C 14
Churchills M. Wfd G—5H 27
Churchill Ter. E4—3C 26
Church La. N9—1G 25
Church La. N17—7E 24
Church La. Chesh—4F 3
Church La. Enf—2D 16
Churchmead Clo. E Barn—5C 14
Church Pas. Barn—2G 13
Church Path. N12—3A 22
Church Path. N17—7E 24
Church Path. Barn—3G 13
Church Rd. N17—7E 24
(in two parts)
Church Rd. Buck H—7K 19
Church Rd. Enf—5J 17
Church Rd. H Bee—2J 19
Church Rd. N. N2—7B 22
Church Rd. S. N2—7B 22
Church St. N9—6D 16
Church St. Enf—2C 16
Church St. Wal A—1E 10
Church Wlk. Enf—2D 16
Church Way. N20—2C 22
Church Way. Barn—3D 14
Churchwood Gdns. Wfd G—3J 27
Churston Gdns. N11—5G 23
Circle, The. NW7—5A 20
Circular Rd. N2—7B 22
Cissbury Ring N. N12—4H 21
Cissbury Ring S. N12—4H 21
Claigmar Gdns. N3—7K 21
Claire Ct. N12—3A 22
Claire Ct. Chesh—7J 3
Clare Ct. Enf—3A 10
Claremont. Chesh—4D 2
Claremont Gro. Wfd G—5K 27
Claremont Pk. N3—7G 21
Claremont Rd. Barn—6A 6
Claremont St. N18—5G 25
Clarence Clo. Barn—4B 14
Clarence Ct. NW7—4A 20
Clarence Rd. E17—7K 25
Clarence Rd. N22—6J 23
Clarence Rd. Enf—4J 17
Clarendon Pde. Chesh—4H 3
Clarendon Rd. N18—5G 25
Clarendon Rd. Chesh—4H 3
Clarendon Way. N21—5C 16
Claudia Jones Ho. N17—7C 24
*Clavering Ind. Est. N9—1J 25*
*(off Montagu Rd.)*
Claverley Gro. N3—7K 21
Claverley Vs. N3—6K 21
**Clay Hill. —5C 8**
Clay Hill. Enf—5C 8
Claypit Hill. Wal A—4K 11
Clayton Fld. NW9—6A 20
Clayton Pde. Chesh—5H 3
Cleall Av. Wal A—2E 10
Clematis Gdns. Wfd G—4J 27
Clement Rd. Chesh—2J 3
Cleveland La. N9—6H 17
Clifford Rd. N9—5J 17
Clifford Rd. Barn—2K 13
Clifton Av. N3—7H 21
Clifton Clo. Chesh—4J 3
Clifton Ct. Wfd G—5J 27
Clifton Gdns. Enf—3J 15
Clifton Rd. N3—7A 22
Clifton Rd. N22—7G 23
Cline Rd. N11—5G 23
Clive Av. N18—5G 25
Cliveden Clo. N12—3A 22
Clivedon Rd. E4—4G 27
Clive Rd. Enf—3G 17
Clive Way. Enf—3G 17
Clockhouse Pde. N13—4A 24
Clock Pde. Enf—4D 16
Close, The. E4—6E 26
Close, The. N14—1H 23
Close, The. N20—1H 21
Close, The. E Barn—5D 14
Close, The. Pot B—1J 5
Clovelly Gdns. Enf—6E 16
Clydach Rd. Enf—3F 17
Clyde Rd. N22—7H 23
Clydesdale. Enf—3K 17
Clydesdale Ct. N20—7B 14
Clydesdale Wlk. Brox—1K 3
Cobbett Clo. Enf—4J 9
Cobbinsbank. Wal A—1F 11
Cobbins, The. Wal A—1G 11
Cobham Clo. Enf—2G 17
Cobham Rd. E17—7E 26
Cocker Rd. Enf—4H 9
**Cockfosters. —3E 14**
Cockfosters Pde. Barn—3E 14
Cockfosters Rd. Pot B & Barn—3B 6
Coe's All. Barn—3G 13
Cogan Av. E17—7A 26
Cohen Clo. Chesh—6J 3
Coldfall Av. N10—7E 22
Coldham Ct. N22—7B 24
Coldham Gro. Enf—5A 10
Colebrook Way. N11—4F 23
Colenso Dri. NW7—6C 20
Coleridge Clo. Wal X—2D 2
*Coleridge Ct. New Bar—4K 13*
*(off Station Rd.)*
Coleridge Rd. N12—4A 22
Colet Clo. N13—5B 24
Colgate Pl. Enf—5C 10
College Clo. N18—4F 25
College Ct. Chesh—5G 3
College Ct. Enf—4J 17
College Gdns. E4—6D 18
College Gdns. N18—4F 25
College Gdns. Enf—7D 8
College Pk. Rd. N17—5F 25
College Rd. N17—5F 25
College Rd. N21—1A 24
College Rd. Chesh—5G 3
College Rd. Enf—1D 16
College Ter. N3—7H 21
Collett Clo. Chesh—3H 3
Collett Gdns. Chesh—3H 3
Collings Clo. N22—5K 23
Collingwood Ct. New Bar—4K 13
Collinwood Av. Enf—2J 17
Colman Ct. N12—5A 22
Colman Pde. Enf—2E 16
Colmore Rd. Enf—3J 17
Colne Rd. N21—6D 16
**Colney Hatch. —5D 22**
Colney Hatch La. N11 & N10—5D 22
Colonade, The. Chesh—3H 3
Colonel's Wlk. Enf—2B 16
Colston Cres. G Oak—2A 2
Columbia Wharf. Enf—5A 18
Colville Rd. N9—7H 17
Colvin Gdns. E4—2E 26
Colvin Gdns. Wal X—3K 9
Colwall Gdns. Wfd G—4J 27
Colwyn Way. N18—4G 25
Commerce Rd. N22—7K 23
Commercial Rd. N18—4E 24
Commercial Rd. Ind. Est. N18—5F 25
Commonwealth Rd. N17—6G 25
Compton Cres. N17—6C 24
Compton Rd. N21—7A 16
Compton Ter. N21—7A 16
Comreddy Clo. Enf—7B 8
*Concord Ho. N17—6F 25*
*(off Park La.)*
Concord Rd. Enf—4J 17
*Concourse, The. N9—1H 25*
*(off Plevna Rd.)*
Concourse, The. NW9—7A 20
Conduit La. N18—4J 25
Conduit La. Enf—5A 18
Coney Burrows. E4—1G 27
Conference Clo. E4—1E 26
Congreve Rd. Wal A—1G 11
Conical Corner. Enf—1C 16
Conifer Clo. Wal X—4D 2
Conifer Gdns. Enf—5E 16
Coningsby Dri. Pot B—1B 6
Coningsby Gdns. E4—5D 26
Conisbee Ct. N14—4G 15
Coniscliffe Rd. N13—2C 24
Coniston Clo. N20—2A 22
Coniston Gdns. N9—7J 17
Coniston Rd. N17—5G 25
Connaught Av. E4—6F 19
Connaught Av. E Barn—7D 14
Connaught Av. Enf—1E 16
Connaught Clo. Enf—1E 16
Connaught Gdns. N13—3B 24
Connaught Rd. E4—6G 19
Connaught Rd. Barn—5F 13
Connaught Way. N13—3B 24
Connington Cres. E4—2F 27

Connop Rd. Enf—6K 9
Constance Rd. Enf—5E 16
Conway Gdns. Enf—6E 8
Conway Rd. N14—2J 23
Conybury Clo. Wal A—1J 11
Cony Clo. Chesh—1C 2
Conyers Clo. Wfd G—5G 27
Cooks Hole Rd. Enf—6B 8
Coolgardie Av. E4—4F 27
Coombe Corner. N21—7B 16
Coombe Ho. E4—5B 26
Coombehurst Clo. Barn—1D 14
Coombe Rd. N22—7A 24
Cooperage Clo. N17—5F 25
Cooper Av. E17—7A 26
Coopers La. Rd. N'thaw & Pot B —1D 6
Coopers Wlk. Chesh—3H 3
Copperfield M. N18—3E 24
Coppergate Ct. Wal A—2J 11 (off Farthingale La.)
Coppetts Cen. N11—6D 22
Coppetts Clo. N12—6C 22
Coppetts Rd. N10—6D 22
Coppice, The. Enf—3B 16
Coppice, The. New Bar—5K 13 (off Gt. North Rd.)
Coppice Wlk. N20—2J 21
Coppies Gro. N11—3F 23
Copse, The. E4—7H 19
Copthall Dri. NW7—6C 20
Copthall Gdns. NW7—6C 20
Copthall Sports Cen.—7D 20
Copwood Clo. N12—3B 22
Coran Clo. N9—6K 17
Corbar Clo. Barn—7B 6
Corbett Gro. N22—6J 23
Corbridge. N17—6H 25
Corby Cres. Enf—3J 15
Cordell Clo. Chesh—3J 3
Corefield Clo. N11—1E 22
Corfield Rd. N21—4K 15
Cork Tree Est., The. E4—4A 26
Cork Tree Way. E4—4A 26
Cormorant Clo. E17—6A 26
Corner Mead. NW9—6B 20
Cornhill Dri. Enf—5A 10 (off Ordnance Rd.)
Cornish Ct. N9—6H 17
Cornmill. Wal A—1D 10
Cornwall Av. N3—6J 21
Cornwall Av. N22—7J 23
Cornwall Clo. Wal X—1A 10
Cornwallis Av. N9—1H 25
Cornwallis Gro. N9—1H 25
Cornwallis Rd. N9—1H 25
Cornwall Rd. N18—4G 25
Corri Av. N14—3H 23
Corrib Ct. N13—2K 23
Cosgrove Clo. N21—1C 24
Cotswold Clo. N11—3E 22
Cotswold Grn. Enf—3K 15
Cotswold Way. Enf—2K 15
Cottage Gdns. Chesh—4H 3
Countisbury Av. Enf—6F 17
County Ga. New Bar—5K 13
Court Ho. Gdns. N3—5J 21
Courthouse Rd. N12—5K 21
Courtland Av. E4—1H 27
Courtland Av. NW7—2A 20
Courtleigh Av. Barn—6A 6
Courtman Rd. N17—6C 24
Covell Ct. Enf—6K 7 (off Ridgeway, The)
Coverack Clo. N14—5G 15
Coverdale Ct. Enf—5A 10
Coverdale Rd. N11—5E 22
Covert Way. Barn—1A 14
Cowdrey Clo. Enf—1E 16
Cowland Av. Enf—3J 17
Cowles. Chesh—2D 2
Cowper Gdns. N14—5F 15
Cowper Rd. N14—7F 15
Cowper Rd. N18—4G 25
Cox Ct. Barn—3C 14
Crabtree Ct. New Bar—3K 13
Craddock Rd. Enf—2F 17
Craig Gdns. E18—7H 27
Craig Pk. Rd. N18—3H 25
Craigs Wlk. Chesh—3H 3
Cranborne Ct. Enf—4K 9
Cranborne Rd. Chesh—7H 3
Cranbrook Pk. N22—7A 24
Cranbrook Rd. Barn—5B 14
Cranfield Dri. NW9—6A 20
Cranford Av. N13—4J 23
Cranleigh Clo. Chesh—3E 2
Cranleigh Gdns. N21—4A 16
Cranley Gdns. N13—2K 23
Cranmere Ct. Enf—1A 16
Cranston Gdns. E4—5D 26
Cranwich Av. N21—6D 16
Cranworth Cres. E4—7F 19
Crawford Gdns. N13—2B 24
Crawley Rd. Enf—6E 16
Crealock Gro. Wfd G—4H 27
Creighton Rd. N17—6E 24
Crescent E. Barn—6A 6
Crescent M. N22—7J 23
Crescent Ri. N3—7H 21
Crescent Ri. N22—7H 23
Crescent Ri. Barn—4C 14
Crescent Rd. E4—6G 19
Crescent Rd. E18—7K 27
Crescent Rd. N3—7H 21
Crescent Rd. N9—7G 17
Crescent Rd. N11—3D 22
Crescent Rd. N22—7H 23
Crescent Rd. Barn—3B 14
Crescent Rd. Enf—3B 16
Crescent, The. N9—1H 25
Crescent, The. N11—3E 22
Crescent, The. Barn—1K 13
Crescent Way. N12—5C 22
Crescent W. Barn—7A 6
Cresswell. NW9—7B 20
Cresswell Way. N21—6A 16
Crestbrook Av. N13—2B 24
Crestbrook Pl. N13—2B 24 (off Green Lanes)
Crest Dri. Enf—6J 9
Crest, The. N13—3A 24
Crews Hill.—2A 8
Crews Hill. Enf—2K 7
Crews Hill Golf Course.—3K 7
Cricketers Arms Rd. Enf—1C 16
Cricketers Clo. N14—6G 15
Crispin Lodge. N11—4D 22
Crocus Fld. Barn—5H 13
Croft Clo. NW7—2A 20
Croft Ct. Borwd—2A 12
Croft Lodge Clo. Wfd G—5K 27
Croft M. N12—2A 22
Crofton Gro. E4—3F 27
Crofton Way. Barn—5K 13
Crofton Way. Enf—1A 16
Croft Rd. Enf—7A 10
Crofts La. N22—6A 24
Croft, The. E4—1G 27
Croft, The. Barn—3G 13
Cromberdale Ct. N17—7G 25 (off Spencer Rd.)
Cromer Rd. N17—7G 25
Cromer Rd. New Bar—3A 14
Cromer Rd. Wfd G—3J 27
Crompton Pl. Enf—6C 10
Cromwell Av. Chesh & Wal X—5F 3
Cromwell Ct. Enf—4K 17
Cromwell Rd. N3—7A 22
Cromwell Rd. N10—6E 22 (in two parts)
Cromwell Rd. Chesh—3F 3
Crooked Billet. (Junct.)—7C 26
Crooked Mile. Wal A—1E 10
Crosbie. NW9—7B 20
Crossbrook St. Chesh—6H 3
Cross Keys Clo. N9—1G 25 (off Green, The)
Cross Keys Clo. N9—1G 25 (off Lacey Clo.)
Crossoaks La. Borwd & Ridge —2A 4
Cross Rd. E4—7F 19
Cross Rd. N11—4F 23
Cross Rd. N22—6A 24
Cross Rd. Enf—3E 16
Cross Rd. Wal X—1A 10
Cross Roads. H Bee—1K 19
Cross St. N18—4G 25
Cross Ter. Wal A—2G 11 (off Stonyshotts)
Crossway. N12—5B 22
Crossway. Enf—6E 16
Crossways. N21—5C 16
Crossway, The. N22—6B 24
Crothall Clo. N13—2K 23
Crouch La. G Oak—3A 2
Crowland Gdns. N14—6J 15
Crown Bldgs. E4—7F 19
Crown Clo. NW7—1B 20
Crown Ct. N10—6E 22
Crown La. N14—7G 15
Crown Pde. N14—7G 15
Crown Rd. N10—6E 22
Crown Rd. Enf—3H 17
Crown Ter. N14—7H 15 (off Crown La.)
Croxford Gdns. N22—6B 24
Croyland Rd. N9—7G 17
Cuba Dri. Enf—1J 17
Cuckoo Hall La. N9—6J 17
Cuckoo Hall Rd. N9—6J 17
Cuffley Hill. G Oak—4A 2
Culgaith Gdns. Enf—3J 15
Cullinet Ho. Borwd—1A 12
Cullings Ct. Wal A—1H 11
Culloden Rd. Enf—1B 16
Cumberland Gdns. NW4—7G 21
Cumberland Ho. N9—7J 17 (off Cumberland Rd.)
Cumberland Rd. E17—7A 26
Cumberland Rd. N9—7J 17
Cumberland Rd. N22—7K 23
Cumberton Rd. N17—7D 24
Cunard Cres. N21—5D 16
Cunningham Av. Enf—4A 10
Cunningham Ct. Chesh—3J 3
Cunningham Rd. Chesh—2J 3
Curry Ri. NW7—5F 21
Curthwaite Gdns. Enf—3H 15
Curzon Av. Enf—4K 17
Curzon Rd. N10—7F 23
Cussons Clo. Chesh—4E 2
Cuthbert Rd. N18—4G 25
Cuthberts Clo. Chesh—4D 2
Cypress Av. Enf—3A 8
Cypress Clo. Wal A—2F 11
Cyprus Gdns. N3—7G 21
Cyprus Rd. N9—1F 25

Dacre Ind. Est. Chesh—4K 3
Dagmar Rd. N22—7H 23
Dahlia Clo. Chesh—1A 2
Dairyglen Av. Chesh—6J 3
Dalbys Cres. N17—5E 24
Dale Clo. New Bar—5K 13
Dale Gdns. Wfd G—3K 27
Dale Grn. Rd. N11—2F 23
Dale Gro. N12—4A 22
Daleside Dri. Pot B—1H 5
Dale, The. Wal A—2G 11
Dale Vw. Av. E4—1E 26
Dale Vw. Cres. E4—1E 26
Dale Vw. Gdns. E4—2F 27
Dalmeny Rd. New Bar—5A 14
Dalrymple Clo. N14—6H 15
Danbury Way. Wfd G—5K 27
Danby Ct. Enf—2C 16 (off Horseshoe La.)
Dancers Hill.—4F 5
Dancers Hill Rd. Barn—4E 4
Dancers La. Barn—3E 4
Dane Ho. N14—6H 15
Daneland. Barn—5D 14
Dane Rd. N18—2J 25
Daniel Clo. N18—3J 25
Daniel Ct. NW9—7A 20
Danleigh Ct. N14—6H 15
Daphne Gdns. E4—2E 26
Daphne Ho. N22—7A 24 (off Acacia Rd.)
Darby Dri. Wal A—1E 10
Darcy Clo. N20—1B 22
Darcy Clo. Chesh—6J 3
Dark La. Chesh—5E 2
Darland Lake Nature Reserve. —2G 21
Darlands Dri. Barn—4F 13
Darley Rd. N9—7F 17
Darnley Rd. Wfd G—7J 27
Dartford Av. N9—5J 17
Darwin Clo. N11—2F 23
Darwin Rd. N22—7B 24
Datchworth Ct. Enf—4E 16
Daubeney Gdns. N17—6C 24
Daubeney Rd. N17—6C 24
Davey Clo. N13—4K 23
David Ct. N20—2A 22
David Lloyd Leisure Cen.—1F 17 (Enfield)
Davison Clo. Chesh—3H 3
Davison Dri. Chesh—3H 3
Dawlish Av. N13—3J 23
Daws Hill. E4—2E 18
Daws La. NW7—4B 20
Dawson Ter. N9—6J 17
Deacon Est., The. E4—5B 26
Deansbrook Rd. Edgw—5A 20
Deans Dri. N13—5B 24
Deansway. N9—2E 24
Deanswood. N11—5H 23
Dearsley Rd. Enf—2G 17
Debenham Ct. Barn—4E 12
Debenham Rd. Chesh—2F 3
De Bohun Av. N14—5F 15
Debussy. NW9—7B 20
Deepdale Clo. N11—5E 22
Deepdene Ct. N21—5B 16
Deerleap Gro. E4—4D 18
Deerpark Way. Wal A—4D 10
Deeves Hall La. Ridge—1A 4
Defiant. NW9—7B 20 (off Further Acre)
Delamare Rd. Chesh—5J 3
Delhi Rd. Enf—6F 17
Dell Clo. Wfd G—2K 27
Dellors Clo. Barn—4F 13
Dell Rd. Enf—6J 9
Dells Clo. E4—6D 18
Dell, The. Wfd G—2K 27
Delroy Ct. N20—6A 14
Dendridge Clo. Enf—5H 9
Denehurst Gdns. Wfd G—3K 27
Dene Rd. N11—7D 14
Denewood. New Bar—4A 14
Denham Rd. N20—2D 22
Denleigh Gdns. N21—6A 16
Denmark St. N17—7H 25
Denner Rd. E4—1C 26
Dennis Pde. N14—7H 15
Denny Av. Wal A—2F 11
Denny Ga. Chesh—2K 3
Denny Rd. N9—7H 17
Densworth Gro. N9—1J 25
Denton Clo. Barn—4E 12
Denton Rd. N18—3E 24
Deodora Clo. N20—2C 22
De Quincey Rd. N17—7D 24
Derby Av. N12—4A 22
Derby Rd. E18—7H 27
Derby Rd. N18—4J 25
Derby Rd. Enf—4H 17
Derwent Av. N18—4D 24
Derwent Av. Barn—7D 14
Derwent Cres. N12—2A 22
Derwent Rd. N13—3K 23
Desmond Ho. Barn—5C 14
Devon Clo. Buck H—1K 27
Devonia Gdns. N18—5C 24
Devonshire Clo. N13—2A 24
Devonshire Cres. NW7—6F 21
Devonshire Gdns. N17—5C 24
Devonshire Gdns. N21—6C 16
Devonshire Hill La. N17—5B 24 (in two parts)
Devonshire M. N13—3A 24
Devonshire Rd. N9—7J 17
Devonshire Rd. N13—3K 23
Devonshire Rd. N17—5C 24
Devonshire Rd. NW7—6F 21
Dewgrass Gro. Wal X—3K 9
Dewhurst Rd. Chesh—4F 3
Dexter Rd. Barn—5F 13
Deyncourt Rd. N17—7C 24
Dialmead. Ridge—1B 4
Diana Clo. E18—7K 27
Dianne Way. Barn—3C 14
Dickens Av. N3—7A 22
Dickens Clo. Chesh—1E 2
Dickens La. N18—4E 24
Dickenson Clo. N9—7G 17
Dickson. Chesh—2D 2
Dig Dag Hill. Chesh—2D 2
Dimsdale Dri. Enf—6G 17
Dingle Clo. Barn—5B 12
Dinsdale Gdns. New Bar—4K 13
Dishforth La. NW9—6A 20
Dison Clo. Enf—7K 9
Dodsley Pl. N9—2J 25
Doggetts Courts. Barn—4C 14
Dollis Av. N3—7H 21

Dollis Brook Wlk. Barn —5G 13
Dolliscroft. NW7 —6G 21
Dollis M. N3 —7J 21
Dollis Pk. N3 —7H 21
Dollis Rd. NW7 & N3 —6G 21
Dollis Valley Way. Barn —5H 13
Dolman Clo. N3 —7A 22
Dominic Ct. Wal A —1D 10
Dominion Bus. Pk. N9 —1K 25
Domitian Pl. Enf —4F 17
Domville Clo. N20 —1B 22
Doncaster Rd. N9 —6H 17
Doncel Ct. E4 —6F 19
Donkey La. Enf —1G 17
Dorchester Av. N13 —3C 24
Dorchester Ct. E18 —7H 27
(off Buckingham Rd.)
Dorchester Ct. N14 —6F 15
Dorchester Gdns. E4 —3C 26
Doritt M. N18 —4E 24
Dorking Ct. N17 —7G 25
(off Hampden La.)
Dorman Pl. N9 —1G 25
Dormer Clo. Barn —4F 13
Dorset M. N3 —7J 21
Dorset Rd. N22 —7J 23
Douglas Av. E17 —7B 26
Douglas Rd. E4 —6G 19
Douglas Rd. N22 —7A 24
Douglas Ter. E17 —7B 26
Dove Clo. NW7 —6B 20
Dovedon Clo. N14 —1J 23
Dove Ho. Gdns. E4 —1C 26
Dove La. Pot B —2A 6
Doverfield. G Oak —4A 2
Doveridge Gdns. N13 —3B 24
Dover Rd. N9 —1J 25
Downes Ct. N21 —7A 16
Downfield Rd. Chesh —6J 3
Downland Clo. N20 —7A 14
Downlands. Wal A —2G 11
Downs Rd. Enf —3E 16
Downway. N12 —6C 22
Drakes Clo. Chesh —3H 3
Drake St. Enf —7D 8
Drapers' Cottage Homes. NW7 (in two parts) —3C 20
Drapers Rd. Enf —1B 16
Drayson Clo. Wal A —1G 11
Drayton Av. Pot B —1G 5
Drayton Gdns. N21 —6B 16
Drew Av. NW7 —5G 21
Driffield Ct. NW9 —7A 20
(off Pageant Av.)
Drive, The. E4 —6F 19
Drive, The. N3 —6J 21
Drive, The. N11 —5H 23
Drive, The. Chesh —2F 3
Drive, The. Enf —7D 8
Drive, The. G Oak —3A 2
Drive, The. High Bar —2G 13
Drive, The. New Bar —5A 14
Drive, The. Pot B —1H 5
Drive, The. Ridg —3E 6
Drummonds, The. Buck H —1K 27
Dryden Rd. Enf —5E 16
Drysdale Av. E4 —6D 18
Duchess Clo. N11 —4F 23
Duchess Gro. Buck H —1K 27
Duchy Rd. Barn —6B 6
Duck Lees La. Enf —3A 18
**Ducks Island. —5F 13**
Dudley Av. Wal X —7H 3
**Dugdale Hill. —1G 5**
Dugdale Hill La. Pot B —1G 5
Dukes Av. N3 —7K 21
Dumbarton Av. Wal X —2K 9
Dunbar Rd. N22 —7A 24
Duncan Clo. Barn —3A 14
Duncan Ct. N21 —7B 16
Dundee Way. Enf —2A 18
Dunholme Grn. N9 —2F 25
Dunholme La. N9 —2F 25
Dunholme Rd. N9 —2F 25
Dunn Mead. NW9 —6B 20
Dunnock Clo. N9 —7K 17
Dunraven Dri. Enf —1A 16
Dunster Clo. Barn —3F 13
Durants Pk. Av. Enf —3K 17
Durants Rd. Enf —3J 17
Durban Rd. E17 —7B 26
Durban Rd. N17 —5E 24
Durham Rd. N9 —1G 25
Durnsford Rd. N11 —7H 23
Dury Rd. Barn —7H 5
Dyrham La. Barn —4C 4
**Dyrham Pk. —6D 4**
**Dyrham Pk. Golf Course. —5C 4**
Dysons Clo. Wal X —1K 9
Dysons Rd. N18 —4H 25

Eagle Clo. Enf —3J 17
Eagle Clo. Wal A —2J 11
Eagle Dri. NW9 —7A 20
Eagle Ter. Wfd G —6K 27
Earl Clo. N11 —4F 23
Earlham Gro. N22 —6K 23
Earls La. S Mim —1A 4
**East Barnet. —5C 14**
E. Barnet Rd. Barn —3B 14
Eastbournia Av. N9 —2H 25
Eastbrook Av. N9 —6J 17
Eastbrook Rd. Wal A —1G 11
Eastbury Av. Enf —7F 9
Eastbury Ct. New Bar —4A 14
(off Lyonsdown Rd.)
East Clo. Barn —3E 14
East Cres. N11 —3D 22
East Cres. Enf —4F 17
E. Duck Lees La. Enf —3A 18
Eastern Av. Wal X —1A 10
Eastern Rd. N22 —7J 23
Eastfield Pde. Pot B —1B 6
Eastfield Rd. Enf —6K 9
Eastfield Rd. Wal X —6K 3
Eastham Clo. Barn —4H 13
E. Lodge La. Enf —4H 7
Easton Gdns. Borwd —3A 12
East Rd. N2 —7C 22
East Rd. Barn —7E 14
East Rd. Enf —6J 9
East Vw. E4 —4E 26
East Vw. Barn —1H 13
East Wlk. E Barn —6E 14
Eastwood Clo. N17 —6H 25
Eastwood Rd. E18 —7J 27
Eaton Pk. Rd. N13 —1A 24
Eaton Rd. Enf —2E 16
Eatons Mead. E4 —1C 26
Ecclesbourne Clo. N13 —4A 24
Ecclesbourne Gdns. N13 —4A 24
Eccleston Clo. Cockf —3D 14
Echo Heights. E4 —7D 18
Edenbridge Rd. Enf —5E 16
Eden Clo. Enf —5C 10
Edgeworth Ct. Barn —3C 14
(off Fordham Rd.)
Edgeworth Rd. Cockf —3C 14
Edgware Way. Edgw —3A 20
Edinburgh Cres. Wal X —1A 10
Edinburgh Rd. N18 —4G 25
Edington Rd. Enf —1J 17
Edison Rd. Enf —1B 18
Edith Rd. N11 —6H 23
Edmansons Clo. N17 —7F 25
**Edmonton. —3G 25**
Edmonton Grn. Shop. Cen. N9 —1G 25
Edward Av. E4 —5D 26
Edward Clo. N9 —6F 17
Edward Ct. Chesh —5J 3
Edward Ct. Wal A —1H 11
Edward Gro. Barn —4B 14
Edward Rd. Barn —4B 14
Edwards Dri. N11 —6H 23
Edwick Ct. Chesh —4H 3
Edwyn Clo. Barn —5E 12
Eglington Rd. E4 —6F 19
Elderbek Clo. Chesh —3E 2
Elder Clo. N20 —1K 21
Eldon Rd. N9 —7J 17
Eldon Rd. N22 —7B 24
Eleanor Cres. NW7 —4F 21
Eleanor Cross Rd. Wal X —2A 10
(in two parts)
Eleanor Gdns. Barn —4F 13
Eleanor Rd. N11 —5J 23
Eleanor Rd. Wal X —1A 10
Eleanor Way. Wal X —2B 10
Electric Av. Enf —4B 10
Electric Pde. E18 —7J 27
(off George La.)
Eley Rd. N18 —3J 25
Eleys Est. N9 —2K 25
Eleys Est. N18 —4K 25
(Advent Way)
Eleys Est. N18 —3K 25
(Kynoch Rd.)
Elgin Rd. N22 —7G 23
Elgin Rd. Chesh —5G 3
Elizabeth Av. Enf —2B 16
Elizabeth Blackwell Ho. N22 —7A 24
(off Progress Way)
Elizabeth Clo. Barn —2F 13
Elizabeth Ct. E4 —4B 26
Elizabeth Ride. N9 —6H 17
Elkanet M. N20 —1A 22
Ellanby Cres. N18 —3H 25
Ellena Ct. N14 —2J 23
(off Conway Rd.)
Ellenborough Rd. N22 —7C 24
Ellen Ct. E4 —7E 18
(off Ridgeway, The)
Ellen Ct. N9 —1J 25
Ellesmere Av. NW7 —3A 20
Ellesmere Gro. Barn —4H 13
Ellington Ct. N14 —1H 23
Ellis Clo. Edgw —5A 20
Elm Bank. N14 —6J 15
Elmbank Av. Barn —3E 12
Elm Clo. Wal A —2F 11
Elmcroft Av. N9 —5H 17
Elmdale Rd. N13 —4K 23
Elm Dri. Chesh —3J 3
Elmer Clo. Enf —2K 15
Elmfield Clo. Pot B —1G 5
Elmfield Rd. E4 —1E 26
Elmfield Rd. Pot B —1G 5
Elm Gdns. Enf —6D 8
Elm Gro. Wfd G —4H 27
Elmhurst Dri. E18 —7J 27
Elmhurst Rd. N17 —7F 25
Elmhurst Rd. Enf —5J 9
Elm Lea Trad. Est. N17 —5H 25
Elmore Rd. Enf —6K 9
Elm Pk. Rd. N3 —6H 21
Elm Pk. Rd. N21 —6C 16
Elm Pas. Barn —3H 13
Elm Rd. N22 —7B 24
Elm Rd. Barn —3H 13
Elmroyd Av. Pot B —1H 5
Elmroyd Clo. Pot B —1H 5
Elmscott Gdns. N21 —5C 16
Elmscroft Gdns. Pot B —1H 5
Elmstead Clo. N20 —1J 21
Elms, The. Lou —1H 19
Elm Way. N11 —5E 22
Elmwood Av. N13 —4J 23
Elphinstone Rd. E17 —7B 26
Elrington Rd. Wfd G —4J 27
Elsden Rd. N17 —7F 25
Elsiedene Rd. N21 —6C 16
Elsinge Rd. Enf —4H 9
Elstree Distribution Pk. Borwd —2A 12
Elstree Gdns. N9 —7H 17
Elstree Ho. Borwd —1A 12
(off Elstree Way)
Elstree Tower. Borwd —1A 12
(off Elstree Way)
Elstree Way. Borwd —2A 12
Elton Av. Barn —4H 13
Elvendon Rd. N13 —5J 23
Elvington La. NW9 —7A 20
Ely Gdns. Borwd —4A 12
Embassy Ct. N11 —5H 23
(off Bounds Grn. Rd.)
Ember Ct. NW9 —7A 20
Emilia Clo. Enf —4H 17
Emmanuel Lodge. Chesh —5G 3
Empire Av. N18 —4C 24
Empire Pde. N18 —5D 24
Empress Av. E4 —6D 26
Empress Av. Wfd G —6H 27
Empress Pde. E4 —6C 26
Emsworth Clo. N9 —7J 17
Endeavour Rd. Chesh —2J 3
Endersby Rd. Barn —4E 12
Endlebury Rd. E4 —1E 26
**Enfield. —2D 16**
Enfield Bus. Cen. Enf —1J 17
Enfield Crematorium. Enf —5H 9
**Enfield Golf Course. —3A 16**
**Enfield Highway. —1K 17**
**Enfield Island Village. —6C 10**
**Enfield Lock. —5B 10**
Enfield Retail Pk. Enf —2H 17
Enfield Rd. Enf —3H 15
**Enfield Town. —2D 16**
**Enfield Wash. —5K 9**
Engel Pk. NW7 —5E 20
Englefield Clo. Enf —1A 16
Ensign Dri. N13 —2C 24
Enstone Rd. Enf —2A 18
Epping Glade. E4 —5E 18
Epping New Rd. Buck H & Lou —1K 27
Epping Way. E4 —5D 18
Erica Ho. N22 —7A 24
(off Acacia Rd.)
Ermine Clo. Chesh —6F 3
Ermine Side. Enf —4G 17
Escot Way. Barn —4E 12
Essex Hall. E17 —7K 25
Essex Pk. N3 —5K 21
Essex Rd. E4 —7G 19
Essex Rd. Enf —3D 16
Esther Clo. N21 —6A 16
Etchingham Ct. N3 —6K 21
Etchingham Pk. Rd. N3 —6K 21
Eton Av. N12 —6A 22
Eton Av. Barn —5C 14
Evanston Av. E4 —6E 26
Evelyn Rd. Cockf —3D 14
Everard Ct. N13 —2K 23
Everett Clo. Chesh —1A 2
Everglade Strand. NW9 —7B 20
Everington Rd. N10 —7D 22
Eversfield Gdns. NW7 —5A 20
Eversleigh Rd. N3 —6H 21
Eversleigh Rd. Barn & New Bar —4A 14
Eversley Clo. N21 —5K 15
Eversley Cres. N21 —5K 15
Eversley Mt. N21 —5K 15
Eversley Pk. Rd. N21 —5K 15
Evesham Av. E17 —7C 26
Evesham Rd. N11 —4G 23
Ewanrigg Ter. Wfd G —4K 27
Ewart Gro. N22 —7A 24
Exchange Clo. N11 —1E 22
Exeter Rd. N9 —1J 25
Exeter Rd. N14 —7F 15
Exeter Rd. Enf —2K 17
Eysham Ct. New Bar —4K 13

Faints Clo. Chesh —4D 2
Fairacres Clo. Pot B —1H 5
Fairbrook Clo. N13 —4A 24
Fairbrook Rd. N13 —5A 24
Fairchild Ho. N3 —7J 21
Fairfax Way. N10 —6E 22
Fairfield. N20 —6B 14
Fairfield Clo. N12 —3A 22
Fairfield Clo. Enf —3K 17
Fairfield Rd. N18 —3G 25
Fairfield Rd. Wfd G —5J 27
Fairfield Wlk. Chesh —3J 3
Fairfield Way. Barn —4J 13
Fairgreen. Barn —2D 14
Fairgreen Ct. Barn —2D 14
Fairgreen E. Barn —2D 14
Fairlands Av. Buck H —1J 27
Fairlawn Clo. N14 —5G 15
Fairlawn Dri. Wfd G —6J 27
Fairley Way. Chesh —3F 3
Fairlight Av. E4 —1F 27
Fairlight Av. Wfd G —5J 27
Fairlight Clo. E4 —1F 27
Fairmead Rd. Lou —4K 19
Fairoaks Gro. Enf —5K 9
Fairview Clo. E17 —7A 26
Fairview Ct. NW4 —7F 21
Fairview Gdns. Wfd G —7K 27
Fairview Rd. Enf —7A 8
Fairview Vs. E4 —6D 26
Fairway Ct. New Bar —5K 13
Fairways. Chesh —1H 3
Fairways. Wal A —2G 11
Fairway, The. N13 —2C 24
Fairway, The. N14 —5F 15
Fairway, The. NW7 —2A 20
Fairway, The. New Bar —5K 13
Fairweather Ct. N13 —2K 23
Fakenham Clo. NW7 —6C 20
Falcon Clo. Wal A —2J 11
Falcon Ct. New Bar —3A 14
Falcon Cres. Enf —4K 17
Falconer Ct. N17 —6C 24
Falcon Rd. Enf —4K 17
Falcon Way. NW9 —7A 20
Falkland Av. N3 —6J 21

Falkland Av. *N11*—3F **23**
Falkland Rd. *Barn*—1G **13**
**Fallow Corner. —6A 22**
Fallow Ct. Av. *N12*—6A **22**
Fallowfields Dri. *N12*—5C **22**
Fallowhurst Path. *N12*—6A **22**
Fallows Clo. *N2*—7B **22**
Falman Clo. *N9*—7G **17**
Falmer Rd. *Enf*—3E **16**
Falmouth Av. *E4*—4F **27**
Falmouth Clo. *N22*—6K **23**
Farm Clo. *N14*—5F **15**
Farm Clo. *Barn*—4E **12**
Farm Clo. *Buck H*—2K **27**
Farm Clo. *Chesh*—5G **3**
Farm End. *E4*—4G **19**
Farmers Ct. *Wal A*—1J **11**
Farm Hill Rd. *Wal A*—1F **11**
Farm Ho. Clo. *Brox*—1K **3**
Farm Ho. Ct. *NW7*—6C **20**
Farmlands. *Enf*—7A **8**
Farmleigh. *N14*—6G **15**
Farm Rd. *N21*—7C **16**
Farm Way. *Buck H*—3K **27**
Farndale Av. *N13*—2B **24**
Farnham Clo. *N20*—6A **14**
Farningham Rd. *N17*—6G **25**
Farnley Rd. *E4*—6G **19**
Farorna Wlk. *Enf*—7A **8**
Farrant Av. *N22*—7A **24**
Farriers End. *Brox*—1K **3**
Farriers Way. *Borwd*—4A **12**
Farr Rd. *Enf*—7D **8**
Farthingale Ct. *Wal A*—2J **11**
Farthingale La. *Wal A*—2J **11**
(in two parts)
Farthings Clo. *E4*—2G **27**
Faverolle Grn. *Chesh*—3G **3**
Faversham Av. *E4*—7G **19**
Faversham Av. *Enf*—5D **16**
Featherstone Rd. *NW7*—5D **20**
Feline Ct. *Barn*—5C **14**
Felixstowe Rd. *N9*—2G **25**
Felstead Rd. *Wal X*—7J **3**
Felton Clo. *Brox*—1K **3**
Fenman Ct. *N17*—7H **25**
Fenstanton Av. *N12*—5B **22**
Fenton Rd. *N17*—6C **24**
Ferguson Gro. *Chesh*—4H **3**
Fernbank. *Buck H*—7K **19**
Ferncroft Av. *N12*—5D **22**
Ferndale Rd. *Enf*—5A **10**
Ferney Rd. *Chesh*—1B **2**
Ferney Rd. *E Barn*—6E **14**
Fernleigh Rd. *N21*—1A **24**
Ferns Clo. *Enf*—4A **10**
Fernside. *Buck H*—7K **19**
Fernside Av. *NW7*—2A **20**
*Fernside Ct. NW4—7F **21***
*(off Holders Hill Rd.)*
Fernwood Cres. *N20*—2D **22**
Ferny Hill. *Barn*—6D **6**
Fetherstone Clo. *Pot B*—1B **6**
Field Clo. *E4*—5D **26**
Field End. *Barn*—3D **12**
Fielders Clo. *Enf*—3E **16**
Fieldhouse Clo. *E18*—7K **27**
Fieldings Rd. *Chesh*—4K **3**
Field Mead. *NW7*—6A **20**
Fields Ct. *Pot B*—1B **6**
*Fieldview Cotts. N14—1H **23***
*(off Balaams La.)*
Field Vw. Rd. *Pot B*—1J **5**
Fife Rd. *N22*—6B **24**
Fillebrook Av. *Enf*—1E **16**
Finch Clo. *Barn*—4J **13**
Finch Gdns. *E4*—4C **26**
**Finchley. —7J 21**
Finchley Ct. *N3*—5K **21**
Finchley Golf Course. —4H 21
Finchley Ind. Est. *N12*—3A **22**
FINCHLEY MEMORIAL HOSPITAL. —6A 22
Finchley Pk. *N12*—3A **22**
Finchley Way. *N3*—6J **21**
Findon Rd. *N9*—7H **17**
Finsbury Cotts. *N22*—6J **23**
Finsbury Ct. *Wal X*—2A **10**
Finsbury Ho. *N22*—7J **23**
Finsbury Rd. *N22*—6K **23**
Fiona Ct. *Enf*—2B **16**
Firbank Clo. *Enf*—3C **16**
Firemans Flats. *N22*—6J **23**
Fire Sta. All. *High Bar*—2G **13**
Firs Av. *N11*—5D **22**
Firscroft. *N13*—2C **24**
*Firs Ho. N22—7A **24***
*(off Acacia Rd.)*
Firs La. *N13 & N21*—2C **24**
Firs La. *N21*—6C **16**
Firs La. *Pot B*—1K **5**
Firs Pk. Av. *N21*—7C **16**
Firs Pk. Gdns. *N21*—7C **16**
First Av. *N18*—3J **25**
First Av. *Enf*—4F **17**
Firs, The. *N20*—7B **14**
Firs, The. *Chesh*—2C **2**
Firs Wlk. *Wfd G*—4J **27**
Firs Wood Clo. *Pot B*—1D **6**
Fir Tree Wlk. *Enf*—2D **16**
Fisher Clo. *Enf*—5C **10**
Fishers Clo. *Wal X*—2C **10**
Fiske Ct. *N17*—7G **25**
Fitzjohn Av. *Barn*—4G **13**
Five Acre. *NW9*—7B **20**
Fiveways Corner. (Junct.) —7D **20**
Flagstaff Clo. *Wal A*—1D **10**
Flagstaff Rd. *Wal A*—1D **10**
**Flamstead End. —4F 3**
Flamstead End Rd. *Chesh*—3F **3**
Flash La. *Enf*—5B **8**
Flaxen Clo. *E4*—2D **26**
Flaxen Rd. *E4*—2D **26**
Fleece Dri. *N9*—3G **25**
Fleeming Clo. *E17*—7B **26**
Fleeming Rd. *E17*—7B **26**
Fleming Clo. *Chesh*—1E **2**
Fleming Dri. *N21*—4K **15**
Fletton Rd. *N11*—6J **23**
Flexmere Gdns. *N17*—7D **24**
Flexmere Rd. *N17*—7D **24**
Flight App. *NW9*—7B **20**
Florence Av. *Enf*—2C **16**
Florence Dri. *Enf*—2C **16**
Florin Ct. *N18*—3E **24**
Flower La. *NW7*—4B **20**
Fogerty Clo. *Enf*—5D **10**
Folkestone Rd. *N18*—3G **25**
Folkingham La. *NW9*—7A **20**
Folkington Corner. *N12*—4H **21**
*Folland. NW9—7B **20***
*(off Hundred Acre)*
Folly La. *E17*—7A **26**
(in two parts)
Font Hills. *N2*—7A **22**
Forbes Av. *Pot B*—1B **6**
Ford End. *Wfd G*—5K **27**
Fordham Clo. *Barn*—2C **14**
Fordham Rd. *Barn*—2B **14**
Ford Ho. *Barn*—4K **13**
Fords Gro. *N21*—7C **16**
Foreland Ct. *NW4*—7F **21**
Forest App. *E4*—6G **19**
Forest App. *Wfd G*—6J **27**
Forest Av. *E4*—6G **19**
Forest Clo. *Wal A*—5K **11**
Forest Clo. *Wfd G*—2K **27**
Forest Ct. *E4*—7H **19**
Forest Ct. *N12*—4K **21**
Forestdale. *N14*—3H **23**
Forest Dri. *Wfd G*—6F **27**
Foresters Clo. *Chesh*—2C **2**
Forest Gdns. *N17*—7F **25**
Forest Glade. *E4*—3G **27**
Forest Mt. Rd. *E4*—6F **27**
Fore St. *N18 & N9*—5F **25**
Forest Rd. *N9*—7H **17**
Forest Rd. *Chesh*—4H **3**
Forest Rd. *Enf*—4A **10**
Forest Rd. *Wfd G*—2J **27**
Forest Side. *E4*—6H **19**
Forest Side. *Buck H*—7K **19**
Forest Side. *Wal A*—4K **11**
Forest Vw. *E4*—6F **19**
Forest Vw. Rd. *E17*—7E **26**
Forest Way. *Wfd G*—3K **27**
Forfar Rd. *N22*—7B **24**
Forster Clo. *E4*—6F **27**
Forsyth Pl. *Enf*—4E **16**
Forty Hall & Mus. —5F 9
**Forty Hill. —6E 8**
Forty Hill. *Enf*—6E **8**
Fosters Clo. *E18*—7K **27**
Fosters Clo. *Chesh*—5H **3**
Fothergill Dri. *N21*—4J **15**
Fotheringham Rd. *Enf*—3F **17**
Fountain Pl. *Wal A*—2E **10**
Fountains Cres. *N14*—6J **15**
*Fountains, The. N3—6K **21***
*(off Ballards La.)*
Fouracres. *Enf*—7A **10**
Four Wents, The. *E4*—7F **19**
Fowley Clo. *Wal X*—2B **10**
Fowley Mead Pk. *Wal X*—2C **10**
Foxes Dri. *Wal X*—4E **2**
Foxgrove. *N14*—2J **23**
Fox La. *N13*—1K **23**
Foxmead Clo. *Enf*—2K **15**
Foxwood Chase. *Wal A*—3E **10**
Foxwood Clo. *NW7*—3A **20**
Foxwood Grn. Clo. *Enf*—5E **16**
Foyle Rd. *N17*—7G **25**
Framfield Clo. *N12*—2J **21**
*Framfield Ct. Enf—5E **16***
*(off Queen Annes Gdns.)*
Frances Rd. *E4*—5C **26**
*Francis Ct. NW7—4B **20***
*(off Watford Way)*
*Francis Greene Ho. Wal A—1D **10***
*(off Grove Ct.)*
Frankland Clo. *Wfd G*—4K **27**
Frankland Rd. *E4*—4C **26**
Franklin Av. *Chesh*—5F **3**
Franklin Clo. *N20*—6A **14**
Frank Martin Ct. *Chesh*—5F **3**
Franlaw Cres. *N13*—3C **24**
Fraser Rd. *N9*—2H **25**
Fraser Rd. *Chesh*—3J **3**
Frating Cres. *Wfd G*—5K **27**
Frederica Rd. *E4*—6F **19**
Frederick Cres. *Enf*—1J **17**
Fredericks Pl. *N12*—3A **22**
Freeland Pk. *NW4*—7G **21**
Freemantle Av. *Enf*—4K **17**
**Freezy Water. —4K 9**
Frensham. *Chesh*—2D **2**
Freshfield Dri. *N14*—6F **15**
Freston Gdns. *Barn*—4E **14**
Freston Pk. *N3*—7H **21**
Friars Av. *N20*—2C **22**
Friars Clo. *E4*—2E **26**
Friars Ct. *E17*—7B **26**
Friars Ga. Clo. *Wfd G*—3J **27**
Friars Wlk. *N14*—6F **15**
Friary Clo. *N12*—4C **22**
Friary La. *Wfd G*—3J **27**
Friary Rd. *N12*—3B **22**
Friary, The. *Wal X*—1B **10**
Friary Way. *N12*—3C **22**
**Friday Hill. —1G 27**
Friday Hill. *E4*—1G **27**
Friday Hill E. *E4*—2G **27**
Friday Hill W. *E4*—1G **27**
Friends Av. *Chesh*—7H **3**
**Friern Barnet. —4D 22**
Friern Barnet La. *N20 & N11*—1B **22**
Friern Barnet Rd. *N11*—4D **22**
Friern Bri. Retail Pk. *N11*—5F **23**
Friern Ct. *N20*—2B **22**
Friern Mt. Dri. *N20*—6A **14**
Friern Pk. *N12*—4A **22**
Friern Watch Av. *N12*—3A **22**
Frinton Dri. *Wfd G*—6F **27**
Frith Ct. *NW7*—6G **21**
Frith La. *NW7*—6G **21**
Frobisher Ct. *NW9*—7A **20**
Frowyke Cres. *S Mim*—1C **4**
Fryatt Rd. *N17*—6D **24**
(in two parts)
Fulbeck Dri. *NW9*—7A **20**
Fulbourne Rd. *E17*—7E **26**
Fullers Av. *E18*—6H **27**
Fullers Clo. *Wal A*—1J **11**
Fullers Rd. *E18*—6H **27**
Fursby Av. *N3*—5J **21**
Further Acre. *NW9*—7B **20**
Furzefield. *Chesh*—3F **3**
Fyfield Rd. *Enf*—2E **16**

**G**ables Lodge. *Barn*—6A **6**
Gainsborough Ct. *N12*—4K **21**
Gainsborough Rd. *N12*—4K **21**
Galdana Av. *Barn*—2A **14**
Galeborough Av. *Wfd G*—6F **27**
Gallants Farm Rd. *E Barn*—6C **14**
Galleyhill Rd. *Wal A*—1G **11**
Galley La. *Barn*—6C **4**
Galliard Clo. *N9*—5J **17**
Galliard Ct. *N9*—5G **17**
Galliard Rd. *N9*—6G **17**
Galloway Clo. *Brox*—1K **3**
Gallus Clo. *N21*—5K **15**
Galva Clo. *Barn*—3E **14**
Galy. *NW9*—7B **20**
Games Rd. *Barn*—2D **14**
Gammon's La. *Chesh*—1C **2**
Gant Ct. *Wal A*—2H **11**
**Ganwick Corner. —4K 5**
Garden Clo. *E4*—4C **26**
Garden Clo. *Ark*—3E **12**
Gardeners Clo. *N11*—1E **22**
Gardenia Rd. *Enf*—5E **16**
Gardenia Way. *Wfd G*—5J **27**
Gardiner Clo. *Enf*—5K **17**
Garenne Ct. *E4*—7E **18**
*Garfield. Enf—4D **16***
*(off Private Rd.)*
Garfield Rd. *E4*—7F **19**
Garfield Rd. *Enf*—3J **17**
Garland Clo. *Chesh*—6J **3**
Garman Clo. *N18*—4D **24**
Garman Rd. *N17*—6J **25**
Garnault Rd. *Enf*—6F **9**
Garner Dri. *Brox*—1J **3**
Garner Rd. *E17*—7E **26**
*Garnett Way. E17—7A **26***
*(off Swansland Gdns.)*
Garrowsfield. *Barn*—5H **13**
Garsdale Clo. *N11*—5E **22**
Garthland Dri. *Barn*—4D **12**
Garthway. *N12*—5C **22**
Gartons Clo. *Enf*—3J **17**
Garwood Clo. *N17*—7H **25**
Gascoigne Gdns. *Wfd G*—6G **27**
Gatcombe Way. *Barn*—2D **14**
Gater Dri. *Enf*—7D **8**
Gates. *NW9*—7B **20**
Gateways, The. *G Oak*—3B **2**
Gathorne Rd. *N22*—7A **24**
Gatward Clo. *N21*—5B **16**
Gatward Grn. *N9*—1F **25**
*Gauntlet. NW9—7B **20***
*(off Five Acre)*
Gawthorne Av. *NW7*—4G **21**
Gaydon La. *NW9*—7A **20**
Gaywood Av. *Chesh*—5H **3**
Gedeney Rd. *N17*—7C **24**
Geisthorp Ct. *Wal A*—1J **11**
General's Wlk., The. *Enf*—5A **10**
Genever Clo. *E4*—4C **26**
Genista Rd. *N18*—4H **25**
Genotin Rd. *Enf*—2D **16**
Genotin Ter. *Enf*—3D **16**
Gentlemans Row. *Enf*—2C **16**
George Cres. *N10*—6E **22**
George La. *E18*—7J **27**
(in two parts)
*George Lansbury Ho. N22—7A **24***
*(off Progress Way)*
George Lovell Dri. *Enf*—5C **10**
*George M. Enf—2D **16***
*(off Town, The)*
George Rd. *E4*—5C **26**
Georgian Ct. *N3*—7H **21**
Georgian Ct. *New Bar*—3A **14**
Gerrards Clo. *N14*—4G **15**
Gews Corner. *Chesh*—4H **3**
Gibbs Clo. *Chesh*—4H **3**
Gibb's Rd. *N18*—3J **25**
Gibson Clo. *N21*—5A **16**
Giffard Rd. *N18*—5E **24**
Gilbert St. *Enf*—5J **9**
Gilda Av. *Enf*—4A **18**
Gilda Ct. *NW7*—7C **20**
Gillham Ter. *N17*—5G **25**
*Gillings Ct. Barn—3G **13***
*(off Wood St.)*
Gillum Clo. *E Barn*—7D **14**
Gilmore Ct. *N11*—4D **22**
Gilmour Clo. *Enf*—3G **9**
Gilpin Cres. *N18*—4F **25**
Gilsland. *Wal A*—3G **11**
Gilwell Clo. *E4*—3D **18**
Gilwell La. *E4*—3D **18**
**Gilwell Park. —3F 19**
Gilwell Pk. *E4*—2F **19**
Girton Ct. *Chesh*—5J **3**
Gladbeck Way. *Enf*—3B **16**
Gladding Rd. *Chesh*—1A **2**
Gladeside. *N21*—5K **15**
Glade, The. *N20*—2B **22**

Glade, The. N21 —6K 15
Glade, The. Enf—2A 16
Glade, The. Wfd G —2K 27
Gladeway, The. Wal A —1F 11
Gladsmuir Rd. Barn —1G 13
Gladstone Av. N22 —7B 24
Gladstone Pl. Barn —3F 13
Gladstone Rd. Buck H —7K 19
Glamis Clo. Chesh —4E 2
Glasgow Rd. N18 —4H 25
Glastonbury Rd. N9 —7G 17
Glebe Av. Enf—2B 16
Glebe Av. Wfd G —5J 27
Glebe Ct. N13 —2A 24
Glebe La. Barn —4C 12
Glebe Rd. N3 —7A 22
Glenbrook N. Enf—3K 15
Glenbrook S. Enf—3K 15
Glen Cres. Wfd G —5K 27
Glendale Av. N22 —6A 24
Glendale Wlk. Chesh —5J 3
Glendean Ct. Enf—4A 10
Glendish Rd. N17 —7H 25
Glendor Gdns. NW7 —3A 20
Glendower Rd. E4 —7F 19
Glengall Rd. Wfd G —5J 27
Glenhill Clo. N3 —7J 21
Glenhurst Rd. N12 —4B 22
Glenloch Rd. Enf—1J 17
Glenmead. Buck H —7K 19
Glenmere Av. NW7 —6C 20
Glen Ri. Wfd G —5K 27
Glen, The. Enf—3B 16
Glenthorne Rd. N11 —4D 22
Glenville Av. Enf—6C 8
Glenwood Rd. NW7 —2A 20
Gloucester Av. Wal X —1A 10
Gloucester Gdns. Cockf —3E 14
Gloucester Rd. E17 —7K 25
Gloucester Rd. N18 —4F 25
Gloucester Rd. Barn —4K 13
Gloucester Rd. Enf—6C 8
*Gloucester Ter. N14 —7H 15 (off Crown La.)*
Glover Clo. Chesh —2D 2
Glover Dri. N18 —5J 25
Glyn Av. Barn —3B 14
Glyn Rd. Enf—3J 17
Goat La. Enf—6F 9
Godolphin Clo. N13 —5B 24
Godwin Clo. E4 —7E 10
Goffs Cres. G Oak —4A 2
Goff's La. Chesh & G Oak —4A 2
**Goff's Oak. —3A 2**
Goffs Oak Av. G Oak —3A 2
Golda Clo. Barn —5F 13
Goldbeaters Gro. Edgw —5A 20
Golden Ct. Barn —3C 14
Gold Hill. Edgw —5A 20
Goldrill Dri. N11 —1E 22
Goldsborough Cres. E4 —1D 26
Goldsdown Clo. Enf—1A 18
Goldsdown Rd. Enf—1K 17
Goldsmith Rd. N11 —4D 22
Golf Ride. Enf—3A 8
Golfside Clo. N20 —2C 22
Goodwin Ct. Barn —5C 14
Goodwin Ct. Chesh —3J 3
Goodwin Ho. N9 —7J 17
Goodwin Rd. N9 —7K 17
Goodwood Av. Enf—5J 9
Goodwyn Av. NW7 —4A 20
Goodwyns Va. N10 —7E 22
Gordon Av. E4 —5G 27
Gordon Hill. Enf—7C 8
Gordon Rd. E4 —6G 19
Gordon Rd. E18 —7K 27
Gordon Rd. N3 —6H 21
Gordon Rd. N9 —1H 25
Gordon Rd. N11 —6H 23
Gordon Rd. Enf—7C 8
Gordon Rd. Wal A —2C 10
Gordon Way. Barn —3H 13
Goring Rd. N11 —5J 23
Gospatrick Rd. N17 —6C 24
*Gothic Cotts. Enf —1C 16 (off Chase Grn. Av.)*
Gough Rd. Enf—1H 17
Government Row. Enf—6C 10
Graeme Rd. Enf—1D 16
Grafton Rd. Enf—2K 15
**Grahame Park. —7B 20**
Grahame Pk. Est. NW9 —7A 20
Grahame Pk. Way. NW7 & NW9 —6B 20
*Graham Ho. N9 —7J 17 (off Cumberland Rd.)*
Grainger Rd. N22 —7C 24
Granard Bus. Cen. NW7 —5A 20
Granaries, The. Wal A —2G 11
Granary Clo. N9 —6J 17
Granby Pk. Rd. Chesh —3D 2
Grand Arc. N12 —4A 22
Grange Av. N12 —4A 22
Grange Av. N20 —6G 13
Grange Av. E Barn —7C 14
Grange Av. Wfd G —5J 27
Grange Clo. Wfd G —6J 27
Grange Ct. Wal A —2E 10
Grange Gdns. N14 —7H 15
**Grange Park. —5B 16**
Grange Pk. Av. N21 —5C 16
Grange Rd. N17 & N18 —5G 25
Grange Rd. Edgw —5A 20
Grange, The. N20 —7B 14 (Athenaeum Rd.)
Grange, The. N20 —7A 14 (Chandos Av.)
Grangeview Rd. N20 —7A 14
Grange Way. N12 —3K 21
Grangeway, The. N21 —5B 16
Granham Gdns. N9 —1F 25
Grant Clo. N14 —6G 15
*Grant Ct. E4 —7E 18 (off Ridgeway, The)*
Grantock Rd. E17 —7F 27
Grants Clo. NW7 —6E 20
Granville Av. N9 —2J 25
Granville Pl. N12 —6A 22
Granville Rd. N12 —6A 22
Granville Rd. N13 —5K 23
Granville Rd. N22 —7B 24
Granville Rd. Barn —3E 12
Grasmere Ct. N22 —5K 23
Grasmere Rd. N10 —7F 23
Grasmere Rd. N17 —5G 25
Grassington Clo. N11 —5E 22
Grass Pk. N3 —7H 21
Grasvenor Av. Barn —4J 13
Gravel Hill. N3 —7H 21
Gravel Hill. Lou —6J 11
Graywood Ct. N12 —6A 22
Gt. Bushey Dri. N20 —7K 13
Gt. Cambridge Ind. Est. Enf—4H 17
Great Cambridge. (Junct.) —4C 24
Gt. Cambridge Rd. N17 —4D 24
Gt. Cambridge Rd. N18 & Enf —3D 24
Gt. Cambridge Rd. Chesh & Wal X —2J 9
Great Fld. NW9 —7A 20
Gt. Groves. G Oak —3C 2
Gt. N. Leisure Pk. N12 —6B 22
Gt. North Rd. Barn —1H 13
Gt. North Rd. New Bar —4J 13
Gt. North Way. NW4 —7D 20
Great Slades. Pot B —1H 5
Gt. Stockwood Rd. Chesh —1B 2
Great Strand. NW9 —7B 20
Grebe Clo. E17 —6A 26
Greenacre Clo. Barn —6H 5
Greenacre Wlk. N14 —2H 23
Greenall Clo. Chesh —5J 3
Green Av. NW7 —3A 20
Greenbank. N12 —3K 21
Greenbank. Chesh —3F 3
Green Bank Clo. E4 —1E 26
Greenbrook Av. Barn —7A 6
Green Clo. Chesh —6J 3
Greencroft Gdns. Enf—2E 16
Greendale. NW7 —3A 20
Grn. Dragon La. N21 —5A 16
Green End. N21 —1B 24
Greenfield St. Wal A —2E 10
Greenham Cres. E4 —5B 26
Greenham Rd. N10 —7E 22
Greenhill. Buck H —7K 19
Greenhill Ct. New Bar —4K 13
Greenhill Pde. New Bar —4K 13
Greenhill Pk. New Bar —4K 13
Greenland Rd. Barn —5E 12
Green La. E4 —7G 11
Green Lanes. N13 & N21 —2A 24
Greenlawns. N12 —5K 21
Greenleas. Wal A —2G 11
Green Moor Link. N21 —6B 16
Greenmoor Rd. Enf—1J 17
Greenoak Pl. Cockf —1D 14
Green Ride. Lou —3K 19
Green Rd. N14 —5F 15
Green Rd. N20 —2A 22
Greenshank Clo. E17 —6A 26
Greenside Clo. N20 —1B 22
Green St. Enf—1J 17
Green, The. E4 —7E 18
Green, The. N9 —1G 25
Green, The. N14 —1H 23
Green, The. N17 —5C 24
Green, The. N21 —6A 16
Green, The. Buck H —7K 19
Green, The. Chesh —3G 3
Green, The. Wal A —2E 10
Green, The. Wfd G —4J 27
Green Wlk., The. E4 —7F 19
Greenway. N14 —1J 23
Greenway. N20 —1J 21
Greenway Clo. N11 —5E 22
Greenway Clo. N20 —1J 21
Greenway, The. Enf—3K 9
Greenway, The. Pot B —1J 5
Greenwich Ct. Wal X —2A 10
Greenwich Way. Wal A —4E 10
Greenwood Av. Chesh —6F 3
Greenwood Av. Enf—1A 18
Greenwood Clo. Chesh —6F 3
Greenwood Dri. E4 —4F 27
Greenwood Gdns. N13 —2B 24
Greenwood Ho. N22 —7A 24
Greenyard. Wal A —1E 10
Gregory Av. Pot B —1A 6
Gregory M. Wal A —1D 10
Grenadine Clo. Chesh —2D 2
Grenfell Ct. NW7 —5D 20
Grenoble Gdns. N13 —5A 24
Grenville Clo. N3 —7G 21
Grenville Clo. Wal X —7H 3
Grenville Gdns. Wfd G —7K 27
Gresham Av. N20 —3D 22
Gresham Clo. Enf—2C 16
Gresley Ct. Enf—3J 9
Gretton Rd. N17 —6F 25
Greville Lodge. N12 —4K 21
Greyhound La. S Mim —1C 4
Greystoke Gdns. Enf—3H 15
Grilse Clo. N9 —3H 25
Grimsdyke Cres. Barn —2E 12
Grindleford Av. N11 —1E 22
Groom Rd. Brox & Turn —1K 3
Grosvenor Ct. N14 —6G 15
Grosvenor Gdns. N14 —4H 15
Grosvenor Gdns. Wfd G —5J 27
Grosvenor Rd. N3 —6H 21
Grosvenor Rd. N9 —7H 17
Grosvenor Rd. N10 —7F 23
Grove Av. N3 —6J 21
Grove Av. N10 —7G 23
Grovebury Ct. N14 —6H 15
Grove Clo. N14 —6G 15
Grove Ct. Wal A —1D 10
Grove Cres. E18 —7H 27
Grovedale Clo. Chesh —5D 2
Grove End. E18 —7H 27
*Grovefield. N11 —3F 23 (off Coppies Gro.)*
Grove Gdns. Enf—6K 9
Grove Hill. E18 —7H 27
Grove Ho. Chesh —5F 3
Grovelands Ct. N14 —6H 15
Grovelands Pk. —6K 15
GROVELANDS PRIORY HOSPITAL. —7J 15
Grovelands Rd. N13 —3K 23
Gro. Park Av. E4 —6D 26
Grove Path. Chesh —6E 2
Grove Rd. E4 —3E 26
Grove Rd. E18 —7H 27
Grove Rd. N11 —4F 23
Grove Rd. N12 —4B 22
Grove Rd. Cockf —2C 14
Grove Rd. W. Enf—5J 9
Groveside Rd. E4 —1G 27
Grove St. N18 —4F 25
Grove, The. N3 —7J 21
Grove, The. N13 —3A 24 (in two parts)
Grove, The. N14 —4G 15
Grove, The. Enf—1A 16
Grove, The. Pot B —1A 6
Gruneisen Rd. N3 —6K 21
*Guernsey Ho. Enf —6K 9 (off Eastfield Rd.)*
Guildford Rd. E17 —7E 26
Guildown Av. N12 —3K 21
Guildsway. E17 —7B 26
Guilfoyle. NW9 —7B 20
Guinevere Gdns. Wal X —6J 3
Gunner Dri. Enf—5C 10
Gunners Gro. E4 —2E 26
Gurney Clo. E17 —7K 25
Gyfford Wlk. Chesh —6F 3

Hackforth Clo. Barn —4D 12
Hacklington Ct. New Bar —3K 13
Hackney Clo. Borwd —4A 12
Hadar Clo. N20 —7J 13
Haddestoke Ga. Chesh —1K 3
Haddon Clo. Enf—5G 17
Hadleigh Ct. E4 —6G 19
Hadleigh Rd. N9 —6H 17
**Hadley. —2H 13**
Hadley Clo. N21 —5A 16
Hadley Comn. Barn —1J 13
Hadley Ct. New Bar —2K 13
Hadley Grn. Rd. Barn —1H 13
Hadley Grn. W. Barn —1H 13
Hadley Gro. Barn —1G 13
Hadley Highstone. Barn —7H 5
Hadley Mnr. Trad. Est. Barn —2H 13
Hadley M. Barn —2H 13
*Hadley Pde. Barn —2G 13 (off High St.)*
Hadley Ridge. Barn —2H 13
Hadley Rd. Barn —1K 13
Hadley Rd. Barn & Enf—6E 6
Hadley Way. N21 —5A 16
**Hadley Wood. —6A 6**
Hadley Wood Golf Course. —7B 6
Hadley Wood Rd. Barn —1A 14
Hadrians Ride. Enf—4F 17
Haileybury Av. Enf—5F 17
Hailsham Ter. N18 —4D 24
*Halcyon. Enf —4E 16 (off Private Rd.)*
Haldane Clo. N10 —6F 23
Haldane Clo. Enf—6D 10
Haldan Rd. E4 —5E 26
Hale Clo. E4 —2E 26
Hale Dri. NW7 —5A 20
**Hale End. —5F 27**
Hale End Rd. E4 —5F 27
Halefield Rd. N17 —7H 25
Hale Gro. Gdns. NW7 —4A 20
Hale La. NW7 —4A 20
Hale, The. E4 —6F 27
Halfhide La. Chesh & Turn —2H 3
Halfhides. Wal A —1F 11
Halifax. NW9 —7B 20
Halifax Rd. Enf—1C 16
Halley Rd. Wal A —4D 10
Hall Gdns. E4 —3B 26
*Halliwick Ct. Pde. N12 —5D 22 (off Woodhouse Rd.)*
Halliwick Rd. N10 —7E 22
Hall Lane. (Junct.) —3K 25
Hall La. E4 —4A 26
Hall La. NW4 —7C 20
Hallside Rd. Enf—6F 9
Hall St. N12 —4A 22
Halstead Gdns. N21 —7D 16
Halstead Hill. G Oak —4C 2
Halstead Rd. N21 —7D 16
Halstead Rd. Enf—3E 16
Halton Clo. N11 —5D 22
Hamburgh Ct. Chesh —3H 3
Hamilton Av. N9 —6G 17
Hamilton Clo. Cockf —3C 14
Hamilton Clo. S Mim —1C 4
Hamilton Cres. N13 —3A 24
Hamilton Rd. N9 —6G 17
Hamilton Rd. Cockf —3C 14
Hamilton Sq. N12 —5B 22
Hamilton Way. N3 —5J 21
Hamilton Way. N13 —3B 24
Hamlet Ct. Enf—4E 16
Hammers La. NW7 —4C 20
Hammond Clo. Barn —4G 13
Hammond Clo. Chesh —1C 2
Hammond Rd. Enf—1H 17
**Hammond Street. —1C 2**
Hammondstreet Rd. Chesh & Wal X —1A 2

Hampden Ct. N10 —6E 22
Hampden Cres. Chesh —6F 3
Hampden La. N17 —7F 25
Hampden Rd. N10 —6E 22
Hampden Rd. N17 —7G 25
Hampden Sq. N14 —7F 15
Hampden Way. N14 —7F 15
Hampshire Clo. N18 —4H 25
Hampshire Rd. N22 —6K 23
Hampton Clo. N11 —4F 23
Hampton Ct. N22 —7G 23
Hampton Rd. E4 —4B 26
Hanbury Clo. Chesh —4J 3
Hanbury Dri. N21 —4K 15
Hanbury Rd. N17 —7H 25
Handsworth Av. E4 —5F 27
Hankins La. NW7 —1A 20
Hanover Ct. Wal A —1E 10
(off Quakers La.)
Hansart Way. Enf —7A 8
Hansen Dri. N21 —4K 15
Harbet Rd. N18 & E4 —4A 26
Harcourt Rd. N22 —7H 23
Hardinge Rd. N18 —5E 24
Hardingstone Ct. Wal X —2B 10
Hardwicke Rd. N13 —5J 23
Hardy Clo. Barn —5G 13
Hardy Rd. E4 —5B 26
Hardy Way. Enf —7A 8
Harefield Clo. Enf —7A 8
Harefield Grn. NW7 —5E 20
Harford Clo. E4 —6D 18
Harford Rd. E4 —6D 18
Hargreaves Av. Chesh —6F 3
Hargreaves Clo. Chesh —6F 3
Harington Ter. N18 —2D 24
Harkness. Chesh —4F 3
Harlech Rd. N14 —2J 23
Harley Ct. N20 —2A 22
Harlow Rd. N13 —2D 24
Harlton Ct. Wal A —2H 11
Harman Av. Wfd G —5H 27
Harman Clo. E4 —3F 27
Harman Rd. Enf —4F 17
Harmsworth Way. N20 —7H 13
Harold Cres. Wal A —1E 10
Harold Rd. E4 —3E 26
Harold Rd. Wfd G —7J 27
Harper Clo. N14 —4G 15
Harper's Yd. N17 —7F 25
Harrier Way. Wal A —2J 11
Harriescourt. Wal A —1J 11
Harris Clo. Enf —7B 8
Harrison Clo. N20 —7C 14
Harrison Wlk. Chesh —5H 3
Harrogate Ct. N11 —5E 22
Harrow Av. Enf —5F 17
Harrow Dri. N9 —7F 17
Harston Dri. Enf —6C 10
Hartham Rd. N17 —7F 25
Hartland Clo. N21 —5C 16
Hartland Ct. N11 —4D 22
(off Hartland Rd.)
Hartland Rd. N11 —4D 22
Hartland Rd. Chesh —5H 3
Hartley Av. NW7 —4B 20
Hartley Clo. NW7 —4B 20
Hart Lodge. High Bar —2G 13
Hartmoor M. Enf —5K 9
Harton Rd. N9 —1H 25
Harts Gro. Wfd G —4J 27
Hartsway. Enf —3J 17
Hartwell Dri. E4 —5E 26
Harveyfields. Wal A —2E 10
Harwood Clo. N12 —5C 22
Harwoods Yd. N21 —6A 16
Haselbury Rd. N18 & N9 —3E 24
Haselwood Dri. Enf —3B 16
Haslam Ct. N11 —3F 23
Haslemere Av. Barn —7D 14
Haslemere Bus. Cen. Enf —3H 17
Haslemere Rd. N21 —1B 24
Hasluck Gdns. New Bar —5K 13
Hastings Clo. Barn —3A 14
Hastings Rd. N11 —4G 23
Hastingwood Trad. Est. N18 —5K 25
Hatch La. E4 —3F 27
(in two parts)
Hatch, The. Enf —7K 9
Hatchwood Clo. Wfd G —3H 27
Hatley Clo. N11 —4D 22
Hatton Rd. Chesh —4H 3
Haughmond. N12 —3K 21
Havelock Rd. N17 —7G 25
Havenhurst Ri. Enf —1A 16
Haven Lodge. Enf —5E 16
(off Village Rd.)
Haven, The. N14 —5F 15
Haverhill Rd. E4 —7E 18
Hawes La. E4 —6E 10
Hawes Rd. N18 —5H 25
Hawk Clo. Wal A —2J 11
Hawkdene. E4 —5D 18
Hawksmead Clo. Enf —4K 9
Hawksmouth. E4 —6E 18
Hawkwell Ct. E4 —2E 26
Hawkwood Cres. E4 —5D 18
Hawley Rd. N18 —4K 25
Hawsted. Buck H —6K 19
Hawter. NW9 —7B 20
Hawthorn Av. N13 —4J 23
Hawthornden Clo. N12 —5C 22
Hawthorne Av. Chesh —6F 3
Hawthorne Clo. Chesh —6F 3
Hawthorn Gro. Barn —5B 12
Hawthorn Gro. Enf —6D 8
Hawthorn M. NW7 —7G 21
Hawthorn Rd. N18 —5F 25
Hawthorns. Wfd G —2J 27
Hawthorn Way. N9 —1E 24
Hayden Rd. Wal A —3E 10
Haydon Clo. Enf —5E 16
Hayes Wlk. Brox —1K 3
Hayes Wlk. Pot B —1K 5
Haynes Clo. N11 —2E 22
Haynes Clo. N17 —6H 25
Hayward Rd. N20 —1A 22
Haywood Ct. Wal A —2H 11
Haywood Lodge. N11 —5J 23
(off Oak La.)
Hayworth Clo. Enf —1A 18
Hazelbury Grn. N9 —2E 24
Hazelbury La. N9 —2E 24
Hazel Clo. N13 —2D 24
Hazel Clo. Wal X —1C 2
Hazeldene. Wal X —7J 3
Hazelgreen Clo. N21 —7B 16
Hazel Mead. Barn —4D 12
Hazel Way. E4 —5B 26
Hazelwood Ct. N13 —3A 24
(off Hazelwood La.)
Hazelwood Cres. N13 —3A 24
Hazelwood La. N13 —3A 24
Hazelwood Rd. Enf —5F 17
Headcorn Rd. N17 —6F 25
Headingley Clo. Chesh —1D 2
Heathcote Gro. E4 —2E 26
Heathcroft Gdns. E17 —7F 27
Heatherdene Clo. N12 —6A 22
Heather Dri. Enf —1B 16
Heather Rd. E4 —5B 26
Heatherton Ter. N3 —7K 21
Heather Way. Pot B —1H 5
Heathfield. E4 —2E 26
Heaths Clo. Enf —1E 16
Heaton Clo. E4 —2E 26
Heaton Ct. Chesh —4H 3
Hebden Ter. N17 —5E 24
Hecham Clo. E17 —7A 26
Hector. NW9 —7B 20
(off Five Acre)
Heddon Ct. Av. Barn —4D 14
Heddon Ct. Pde. Barn —4E 14
Heddon Rd. Cockf —4D 14
Hedge Hill. Enf —7B 8
Hedge La. N13 —2B 24
Hedgerow La. Ark —4D 12
Hedgerow Wlk. Chesh —5H 3
Hedworth Av. Wal X —1K 9
Heene Rd. Enf —7D 8
Helena Clo. Barn —6B 6
Helens Ga. Chesh —1K 3
Helwys Ct. E4 —5D 26
Hemingford Clo. N12 —4B 22
Hemington Av. N11 —4D 22
Hempstead Clo. Buck H —1J 27
Hemswell Dri. NW9 —7A 20
Henderson Rd. N9 —7H 17
Hendon Av. N3 —7G 21
Hendon Crematorium. NW4 —7F 21
Hendon Golf Course. —7E 20
Hendon La. N3 —7H 21
Hendon Rd. N9 —1G 25
Hendon Wood La. NW7 —5B 12
Henley Ct. N14 —6G 15
Henley Rd. N18 —3E 24
Henningham Rd. N17 —7D 24
Henry Clo. Enf —6E 8
Henry Darlot Dri. NW7 —4F 21
Henry Rd. Barn —4B 14
Henrys Av. Wfd G —4H 27
Heracles. NW9 —7B 20
(off Five Acre)
Herbert Rd. N11 —6J 23
Hereford Av. Barn —7D 14
Hereward Clo. Wal A —1F 11
Hereward Gdns. N13 —4A 24
Heriot Av. E4 —1C 26
Herm Ho. Enf —6K 9
Hermitage Clo. Enf —1B 16
Hermitage Ct. Pot B —1A 6
Hermitage La. N18 —4D 24
Herne M. N18 —3G 25
Heron Clo. E17 —7B 26
Heron Clo. Buck H —7J 19
Herongate Clo. Enf —1F 17
Herongate Rd. Chesh —2J 3
Herons Ri. New Bar —3C 14
Heronswood. Wal A —2G 11
Hertford Clo. Barn —2B 14
Hertford Ct. N13 —2A 24
Hertford Rd. N9 & Enf —1H 25
Hertford Rd. Barn —2A 14
Hertswood Ct. Barn —3G 13
Hervey Clo. N3 —7J 21
Hervey Way. N3 —7J 21
Hester Rd. N18 —4G 25
Hewins Clo. Wal A —1G 11
Hewish Rd. N18 —3E 24
Hewitt Av. N22 —7B 24
Hexham Rd. Barn —3K 13
Heybourne Rd. N17 —6H 25
Heywood Av. NW9 —7A 20
Hickman Av. E4 —5E 26
Hickory Clo. N9 —6G 17
Higgins Rd. Chesh —1B 2
High Acres. Enf —2B 16
Higham Hill. —7A 26
Higham Hill Rd. E17 —7A 26
Higham Rd. Wfd G —5J 27
Highams Ct. E4 —2F 27
Highams Park. —5F 27
Highams Pk. Ind. Est. E4 —5E 26
Higham Sta. Av. E4 —5C 26
Highams, The. E17 —7E 26
High Barnet. —1F 13
High Beech. —6K 11
High Beech. N21 —5K 15
High Birch Ct. New Bar —3C 14
(off Park Rd.)
Highbridge Retail Pk. Wal A —2D 10
Highbridge St. Wal A —1D 10
(in two parts)
High Elms. Wfd G —4J 27
Highfield Clo. N22 —7A 24
Highfield Ct. N14 —5G 15
Highfield Rd. N21 —1B 24
Highfield Rd. Chesh —1C 2
Highgrove Clo. N11 —4E 22
Highgrove Ct. Wal X —2J 9
Highland Ct. E18 —7K 27
Highlands. N20 —1C 22
Highlands Av. N21 —4K 15
Highlands Rd. Barn —4J 13
Highlands, The. Barn —3J 13
Highlands Village. —4K 15
Highlea Clo. NW9 —6A 20
Highmead. N18 —4G 25
(off Alpha Rd.)
High Oaks. Enf —6K 7
High Ridge. N10 —7F 23
High Ridge Pl. Enf —6K 7
(off Oak Av.)
High Rd. E18 —7J 27
High Rd. N11 —4F 23
High Rd. N15 & N17 —7F 25
High Rd. N22 —7K 23
High Rd. Buck H & Lou —1K 27
High Rd. E. Finchley. N2 —7B 22
High Rd. N. Finchley. N12 —2A 22
High Rd. Turnford. Turn —1J 3
High Rd. Whetstone. N20 —6A 14
High Rd. Woodford Grn. Wfd G —5H 27
High St. N14 —7H 15
High St. NW7 —4D 20
High St. Barn —2G 13
High St. Chesh —4H 3
High St. Enf —4J 17
High St. Pot B —1K 5
High St. Wal X —1A 10
(in two parts)
High Trees. N20 —2A 22
High Trees. Barn —4C 14
Highview. NW7 —2A 20
Highview Clo. Pot B —1A 6
Highview Gdns. N11 —4G 23
Highview Gdns. Pot B —1A 6
High Vw. Rd. N2 —7D 22
Highwood Av. N12 —3A 22
Highwood Ct. N12 —2A 22
Highwood Ct. Barn —4J 13
Highwood Gro. NW7 —4A 20
Highwood Hill. —2B 20
Highwood Hill. NW7 —1B 20
Highworth Rd. N11 —5H 23
Hillary Ri. Barn —3J 13
Hill Clo. Barn —4E 12
Hill Ct. Barn —3C 14
Hillcourt Av. N12 —5K 21
Hill Cres. N20 —1K 21
Hill Cres. Pot B —2A 6
Hillcrest. N21 —6A 16
Hillcrest Rd. E17 —7F 27
Hillcrest Rd. E18 —7J 27
Hillfield Pk. N21 —1A 24
Hillhouse. Wal A —1H 11
Hill Ho. Clo. N21 —6A 16
Hillier Clo. New Bar —5K 13
Hill Ri. N9 —5H 17
Hill Ri. Pot B —2A 6
Hill Rd. N10 —7D 22
Hillside. New Bar —4A 14
Hillside Av. N11 —5D 22
Hillside Av. Chesh —6H 3
Hillside Av. Wfd G —5K 27
Hillside Clo. Wfd G —4K 27
Hillside Ct. Chesh —6H 3
Hillside Cres. Chesh —6H 3
Hillside Cres. Enf —6D 8
Hillside Gdns. N11 —5G 23
Hillside Gdns. Barn —3G 13
Hillside Gro. N14 —6H 15
Hillside Gro. NW7 —6C 20
Hillside Mans. Barn —3H 13
Hills Rd. Buck H —7K 19
Hilltop Clo. Chesh —1D 2
Hilltop Gdns. NW4 —7D 20
Hillview Gdns. Chesh —2H 3
Hillview Rd. NW7 —3F 21
Hilly Fields Pk. —6C 8
Hilton Av. N12 —4B 22
Hinton Rd. N18 —3E 24
Hobart Clo. N20 —1C 22
Hobbs Clo. Chesh —4H 3
Hobby Horse Clo. Chesh —1B 2
Hockley Ct. E18 —7J 27
Hodson Pl. Enf —6C 10
Hoecroft Ct. Enf —6J 9
(off Hoe La.)
Hoe La. Enf —6G 9
Holbeck La. Chesh —1D 2
Holbrook Clo. Enf —7F 9
Holcombe Hill. NW7 —2C 20
Holdbrook. —2B 10
Holdbrook N. Wal X —1B 10
Holdbrook S. Wal X —2B 10
Holden Av. N12 —4K 21
Holdenhurst Av. N12 —6A 22
Holden Rd. N12 —4K 21
Holder Clo. N3 —6K 21
Holders Hill. —7F 21
Holders Hill Cir. NW7 —6G 21
Holders Hill Rd. NW4 & NW7 —7G 21
Holecroft. Wal A —2G 11
Holland Clo. New Bar —6B 14
Holland Ct. NW7 —5C 20
Holland Ho. E4 —3F 27
Hollick Wood Av. N12 —5D 22
Hollies End. NW7 —4D 20
Hollies, The. N20 —7B 14
Hollington Rd. N17 —7G 25
Hollow, The. Wfd G —3H 27
Hollybush Way. Chesh —3E 2
Holly Cres. Wfd G —6F 27
Holly Dri. E4 —6D 18
Holly Dri. Pot B —1K 5
Hollyfield Av. N11 —4D 22
Hollyfields. Brox —1J 3
Holly Hill. N21 —5K 15
HOLLY HOUSE HOSPITAL. —1K 27
Holly Pk. Rd. N11 —4E 22

Holly Rd. Enf—4K 9
Holly Ter. N20—1A 22
Holly Wlk. Enf—2C 16
Hollywood Rd. E4—4A 26
Hollywood Way. Wfd G—6F 27
Holmbridge Gdns. Enf—3K 17
Holmdene. N12—4K 21
Holmdene Av. NW7—5C 20
Holme Clo. Chesh—6J 3
Holmes Av. NW7—4G 21
Holmesdale. Wal X—3J 9
Holmesdale Tunnel. Wal X—2K 9
Holmleigh Ct. Enf—3J 17
Holmsdale Ho. N11—3F 23
(off Coppies Gro.)
Holmshill La. Borwd—4A 4
Holmwood Gro. NW7—4A 20
Holmwood Rd. Enf—4K 9
Holtwhites Av. Enf—1C 16
Holtwhite's Hill. Enf—7B 8
Holybush. Chesh—3F 3
Holyrood Rd. New Bar—5A 14
Homan Ct. N12—3B 22
Homebush Ho. E4—6D 18
Homecroft Rd. N22—7C 24
Home Fld. Barn—4H 13
Homefield. Wal A—1J 11
Homefield Rd. Edgw—5A 20
Homeleigh Ct. Chesh—4F 3
Homeleigh St. Chesh—5F 3
Homestead Ct. Barn—4J 13
Homestead Paddock. N14—4F 15
Homesteads, The. N11—3F 23
Homewillow Clo. N21—5B 16
Honey Brook. Wal A—1G 11
Honey La. Wal A—1G 11
Honey La. Ho. Wal A—2J 11
Honeypot La. Wal A—2K 11
Honeywood Clo. Pot B—1B 6
Hood Av. N14—5F 15
Hoodcote Gdns. N21—6B 16
Hook Ga. Enf—4H 9
Hook, The. New Bar—5B 14
Hopkins Clo. N10—6E 22
Hoppers Rd. N13 & N21—1A 24
Hoppett Rd. E4—1G 27
Hornbeam Clo. NW7—2B 20
Hornbeam Gro. E4—2G 27
Hornbeam La. E4—4G 19
Hornbeams Av. Enf—3J 9
Hornbeams Ri. N11—5E 22
Hornbeam Way. Wal X—4D 2
Horn La. Wfd G—5J 27
Horsecroft Rd. Edgw—6A 20
Horseshoe Hill. Wal A—1K 11
Horseshoe La. N20—7F 13
Horseshoe La. Enf—2C 16
Horsham Av. N12—4C 22
Horsham Ct. N17—7G 25
(off Lansdowne Rd.)
Horsley Rd. E4—1E 26
Hortus Rd. E4—1E 26
Hotspur Ind. Est. N17—5H 25
Houndsden Rd. N21—5K 15
Houndsfield Rd. N9—6H 17
Howard Bus. Pk. Wal A—2F 11
Howard Clo. N11—1E 22
Howard Clo. Wal A—2F 11
Howard Dri. Borwd—3A 12
Howard Way. Barn—4F 13
Howcroft Cres. N3—6J 21
Howeth Ct. N11—5D 22
(off Ribblesdale Av.)
Howse Rd. Wal A—3D 10
Hudson. NW9—7B 20
(off Near Acre)
Hughendon. New Bar—3K 13
Hull Clo. Chesh—1B 2
Hundred Acre. NW9—7B 20
Hundred Acres. Wal X—2C 10
Hungerdown. E4—7E 18
Hunt Ct. N14—6F 15
Hunter Clo. Pot B—1K 5
Hunters Reach. Wal X—4D 2
Hunters Way. Enf—7A 8
Huntingdon Rd. N9—7J 17
Hunting Ga. Clo. Enf—2A 16
Huntley Dri. N3—5J 21
Hunts Mead. Enf—2K 17
Hurst Av. E4—3C 26
Hurst Clo. E4—2C 26
Hurstcombe. Buck H—1J 27
Hurst Dri. Wal X—2K 9
Hurst Ri. Barn—2J 13
Hurst Rd. N21—7A 16
Hurstwood Ct. N12—5C 22
Hutton Clo. Wfd G—5K 27
Hutton Ct. N9—6J 17
(off Tramway Av.)
Hutton Gro. N12—4K 21
Huxley Pde. N18—4D 24
Huxley Pl. N13—2B 24
Huxley Rd. N18—3D 24
Huxley Sayze. N18—4D 24
Huxley S. N18—4D 24
Hyde Av. Pot B—1K 5
Hyde Clo. Barn—2H 13
Hyde Ct. N20—2B 22
Hyde Ct. Wal X—2A 10
Hydefield Clo. N21—7D 16
Hydefield Ct. N9—1E 24
Hyde Pk. Av. N21—1C 24
Hyde Pk. Gdns. N21—7C 16
Hydeside Gdns. N9—1F 25
Hydethorpe Av. N9—1F 25
Hyde Way. N9—1F 25
Hydon Ct. N11—4D 22
Hythe Clo. N18—3G 25
Hyver Hill. NW7—5A 12

Ian Sq. Enf—7K 9
Ibsley Way. Cockf—4C 14
Illingworth Way. Enf—4E 16
Imber Clo. N14—6G 15
Imperial Ct. N20—2A 22
Imperial Rd. N22—6J 23
(in two parts)
Ingatestone Rd. Wfd G—6K 27
Ingersoll Rd. Enf—6J 9
Ingleton Rd. N18—5G 25
Ingleway. N12—5B 22
Ingresbourne Ct. E4—2D 26
Inks Grn. E4—4E 26
Inkwell Clo. N12—2A 22
Inmans Row. Wfd G—3J 27
Innova Bus. Pk. Enf—4B 10
Innova Way. Enf—4B 10
Inverforth Rd. N11—4F 23
Inverness Av. Enf—7E 8
Inverness Rd. N18—4H 25
Ireland Pl. N22—6J 23
Ireton Clo. N10—6E 22
Iris Way. E4—5B 26
Irkdale Av. Enf—7F 9
Irvine Clo. N20—1C 22
Isabel Ga. Chesh—1K 3
Isabella Clo. N14—6G 15
Isabelle Clo. G Oak—4A 2
Isis Ho. N18—5F 25
Islington Crematorium. N2—7D 22
Ivere Dri. New Bar—5K 13
Ivinghoe Clo. Enf—7E 8
Ivy Rd. N14—6G 15

Jacklin Grn. Wfd G—3J 27
Jackson Rd. Barn—5C 14
Jacksons Dri. Chesh—3E 2
James Ct. NW9—7A 20
James Gdns. N22—6B 24
James Lee Sq. Enf—5C 10
James Pl. N17—7F 25
James St. Enf—4F 17
James Yd. E4—5F 27
Jarvis Cleys. Chesh—1D 2
Jarvis Clo. Barn—4F 13
Jasper Clo. Enf—6J 9
Jaycroft. Enf—7A 8
Jeffreys Rd. Enf—3A 18
Jellicoe Rd. N17—6D 24
Jennings Way. Barn—2E 12
Jepps Clo. Chesh—2C 2
Jeremy's Grn. N18—3H 25
Jersey Ho. Enf—6K 9
(off Eastfield Rd.)
Jervis Av. Enf—3A 10
Jessop Ct. Wal A—2H 11
John Adams Ct. N9—1F 25
John Bradshaw Rd. N14—7H 15
Johnby Clo. Enf—5A 10
John Gooch Dri. Enf—7B 8
Johnston Rd. Wfd G—5J 27
John St. Enf—4F 17
Joint Rd. N2—7C 22
Jones Cotts. Barn—4C 12
Jones Rd. G Oak—5A 2
Joshua Wlk. Wal X—2C 10
Joslyn Clo. Enf—6C 10
Joyce Av. N18—4F 25
Joyce Butler Ho. N22—7K 23
Joyce Ct. Wal A—2F 11
Joystone Ct. New Bar—3C 14
(off Park Rd.)
Jubilee Av. E4—5E 26
Jubilee Ct. Wal A—1H 11
Jubilee Cres. N9—7G 17
Jubilee Mkt. Wfd G—5K 27
Jubilee Pde. Wfd G—5K 27
Jules Thorn Av. Enf—3G 17
Julian Clo. New Bar—2K 13
Junction Rd. N9—7G 17
Juniper Clo. Barn—4F 13
Justin Rd. E4—5B 26
Jute La. Brim & Enf—1A 18
(in two parts)

Kaplan Dri. N21—4K 15
Kates Clo. Barn—4C 12
Kay Ter. E18—7H 27
Keatley Grn. E4—5B 26
Keats Clo. Enf—4K 17
Keats Pde. N9—1G 25
(off Church St.)
Keely Clo. Barn—4C 14
Keith Rd. E17—7B 26
Kelly Rd. NW7—5G 21
Kelman Clo. Wal X—6H 3
Kelmscott Clo. E17—7B 26
Kelvin Av. N13—5K 23
Kemble Clo. Pot B—1B 6
Kemble Pde. Pot B—1A 6
Kemble Rd. N17—7G 25
Kemp. NW9—7B 20
(off Concourse, The)
Kempe Rd. Enf—4H 9
(in two parts)
Kendal Av. N18—3D 24
Kendal Clo. Wfd G—1H 27
Kendal Gdns. N18—3D 24
Kendalmere Clo. N10—7F 23
Kendal Pde. N18—3D 24
Kendal Rd. Wal A—3E 10
Kenerne Dri. Barn—4G 13
Kenilworth Cres. Enf—7E 8
Kenley Av. NW9—7A 20
Kenley Clo. Barn—3C 14
Kenmare Gdns. N13—3C 24
Kennard Rd. N11—4D 22
Kennedy Av. Enf—5J 17
Kennedy Clo. Chesh—3J 3
Kenneth Robbins Ho. N17—6H 25
Kenninghall. (Junct.)—5J 25
Kenninghall Rd. N18—4J 25
Kenny Rd. NW7—5G 21
Kensington Clo. N11—5E 22
Kent Ct. NW9—7A 20
Kent Dri. Cockf—3E 14
Kent Rd. N21—7D 16
Kenver Av. N12—5B 22
Kenwood Av. N14—4H 15
Kenwood Rd. N9—7G 17
Kenworth Clo. Wal X—1K 9
Kerri Clo. Barn—3E 12
Kerry Clo. N13—1K 23
Keston Clo. N18—2D 24
Kestrel Clo. NW9—7A 20
Kestrel Ct. E17—7K 25
Kestrel Rd. Wal A—2J 11
Keswick Dri. Enf—4J 9
Kettering Rd. Enf—5K 9
Kettlewell Clo. N11—5E 22
Kevelioc Rd. N17—7C 24
Keynsham Av. Wfd G—3G 27
Kidlington Way. NW9—7A 20
Kilsmore La. Chesh—3H 3
Kilvinton Dri. Enf—6D 8
Kimberley Gdns. Enf—2F 17
Kimberley Ind. Est. E17—7B 26
Kimberley Rd. E4—7G 19
Kimberley Rd. E17—7A 26
Kimberley Rd. N18—5H 25
Kimberley Way. E4—7G 19
Kimptons Clo. Pot B—1F 5
Kimptons Mead. Pot B—1F 5
Kinetic Cres. Enf—4B 10
King Arthur Ct. Chesh—6J 3
King Edward Rd. Barn—3J 13
King Edward Rd. Wal X—1A 10
King Edward's Rd. N9—6H 17
King Edward's Rd. Enf—3K 17
Kingfisher Ct. Enf—6K 7
King George Rd. Wal A—2E 10
King Harold Ct. Wal A—1E 10
(off Sun St.)
King Henry's M. Enf—5C 10
(off Mollison Av.)
Kings Av. N21—7B 16
King's Av. Wfd G—5K 27
Kings Chase Vw. Ridg—1A 16
Kingsclere Ct. N12—4C 22
Kingsclere Pl. Enf—1C 16
Kingsdale Ct. Wal A—2J 11
(off Lamplighters Clo.)
Kings Farm. E17—7D 26
Kingsfield Dri. Enf—3K 9
Kingsfield Way. Enf—3K 9
Kings Head Hill. E4—6D 18
Kingshill Ct. Barn—3G 13
Kingsland. Pot B—1H 5
Kingsley Av. Chesh—4F 3
Kingsley Gdns. E4—4C 26
Kingsley Rd. N13—3A 24
Kingsmead. Barn—3J 13
Kingsmead. Wal X—3H 3
Kingsmead Av. N9—7H 17
Kings Mdw. Ct. Wal A—2J 11
(off Horseshoe Clo.)
KING'S OAK BMI HOSPITAL, THE.—6A 8
Kings Rd. E4—7F 19
King's Rd. N17—7F 25
Kings Rd. N18—4G 25
Kings Rd. N22—7K 23
Kings Rd. Barn—2E 12
Kings Rd. Wal X—1A 10
Kingston Rd. N9—1G 25
Kingston Rd. Barn—4B 14
King St. N17—7F 25
Kingsway. N12—5A 22
Kingsway. Enf—4H 17
Kingsway Est. N18—5K 25
Kingswood Clo. N20—6A 14
Kingswood Clo. Enf—4E 16
Kingswood Ct. E4—4C 26
Kingswood Pk. N3—7H 21
Kingwell Rd. Barn—6B 6
Kipling Ter. N9—2D 24
Kirkby Clo. N11—5E 22
Kitchener Rd. E17—7D 26
Kitt's End.—5G 5
Kitts End Rd. Barn—4F 5
Knebworth Av. E17—7C 26
Knebworth Path. Borwd—3A 12
Knight Ct. E4—7E 18
(off Ridgeway, The)
Knighton Clo. Wfd G—3K 27
Knighton Dri. Wfd G—3K 27
Knighton Grn. Buck H—1K 27
Knighton La. Buck H—1K 27
Knights La. N9—2G 25
Knightswood Ho. N12—5A 22
Knoll Dri. N14—6E 14
Kynaston Rd. Enf—7D 8
Kynoch Rd. N18—3J 25

Laburnum Av. N9—1F 25
Laburnum Av. N17—6D 24
Laburnum Clo. E4—5B 26
Laburnum Clo. N11—5E 22
Laburnum Clo. Chesh—6H 3
Laburnum Gdns. N21—1C 24
Laburnum Gro. N21—1C 24
Lacey Clo. N9—1G 25
Lackmore Rd. Enf—3J 9
Ladbroke Rd. Enf—5F 17
Ladderswood Way. N11—4G 23
Lady Sarah Ho. N11—5D 22
(off Asher Loftus Way)
Lady Shaw Ct. N13—1K 23
Ladysmith Clo. NW7—6C 20
Ladysmith Rd. N18—4H 25
Ladysmith Rd. Enf—2E 16
(in two parts)
Laidlaw Dri. N21—4K 15
Laing Sports Club Golf Course.—4A 12
Lake Bus. Cen. N17—6G 25
Lakenheath. N14—4H 15
Lakeside. N3—7K 21

Lakeside. *Enf* —3H **15**
Lakeside Cres. *Barn* —4D **14**
Lakeside Rd. *N13* —3K **23**
Lakeside Rd. *Chesh* —3G **3**
Lake Vw. *Pot B* —1A **6**
*Lake Vw. Ter. N18 —3F* ***25***
*(off Sweet Briar Wlk.)*
Lambert Rd. *N12* —4B **22**
Lambert Way. *N12* —4A **22**
Lambourne Gdns. *E4* —1C **26**
Lambourne Gdns. *Enf* —1F **17**
Lamb's Clo. *N9* —1G **25**
Lambs Ter. *N9* —1D **24**
Lamb's Wlk. *Enf* —1C **16**
Lambton Av. *Wal X* —7H **3**
Lamford Clo. *N17* —6D **24**
Lamorna Clo. *E17* —7E **26**
Lamplighters Clo. *Wal A* —2J **11**
Lanacre Av. *NW9* —7A **20**
Lancaster Av. *Barn* —6B **6**
Lancaster Clo. *N17* —6G **25**
Lancaster Clo. *NW9* —6B **20**
Lancaster Ho. *Enf* —7D **8**
Lancaster Rd. *N11* —5H **23**
Lancaster Rd. *N18* —4F **25**
Lancaster Rd. *Barn* —3B **14**
(in two parts)
Lancaster Rd. *Enf* —7D **8**
Lancelot Gdns. *E Barn* —6E **14**
Lancing Gdns. *N9* —7F **17**
Landau Way. *Brox* —1K **3**
Landmark Commercial Cen. *N18* —5E **24**
Landmead Rd. *Chesh* —4J **3**
Landra Gdns. *N21* —5B **16**
Landridge Dri. *Enf* —6H **9**
Landscape Rd. *Wfd G* —6K **27**
Landseer Rd. *Enf* —4G **17**
Lane App. *NW7* —4G **21**
Lanercost Gdns. *N14* —6J **15**
Langdale Gdns. *Wal X* —3K **9**
Langford Cres. *Cockf* —3D **14**
Langford Rd. *Cockf* —3D **14**
Langham Gdns. *N21* —4A **16**
Langhedge Clo. *N18* —5F **25**
Langhedge La. *N18* —5F **25**
Langhedge La. Ind. Est. *N18* —5F **25**
Langley Ct. *G Oak* —3A **2**
Langley Pk. *NW7* —5A **20**
Langley Row. *Barn* —7H **5**
Langside Cres. *N14* —2H **23**
Langton Av. *N20* —6A **14**
Lankaster Gdns. *N2* —7B **22**
Lansbury Av. *N18* —4D **24**
Lansbury Rd. *Enf* —7K **9**
Lansbury Way. *N18* —4E **24**
Lansdowne Rd. *E4* —1C **26**
Lansdowne Rd. *N3* —6J **21**
Lansdowne Rd. *N17* —7F **25**
Lansfield Av. *N18* —3G **25**
*Lapworth. N11 —3F* ***23***
*(off Coppies Gro.)*
Larch Clo. *N11* —6E **22**
Larch Clo. *Chesh* —2C **2**
Larches Av. *Enf* —3J **9**
Larches, The. *N13* —2C **24**
Larch Grn. *NW9* —7A **20**
Larksfield Gro. *Enf* —7H **9**
Larkshall Cres. *E4* —3E **26**
Larkshall Rd. *E4* —4E **26**
Larkspur Clo. *N17* —6D **24**
Larkswood Ct. *E4* —4F **27**
Larkswood Rd. *E4* —3C **26**
Larmans Rd. *Enf* —4J **9**
Larsen Dri. *Wal A* —2F **11**
Lascotts Rd. *N22* —5K **23**
Latchett Rd. *E18* —7K **27**
Lathkill Clo. *Enf* —6G **17**
Latimer Ct. *Wal X* —2B **10**
Latimer Rd. *Barn* —2K **13**
Latymer Rd. *N9* —7F **17**
Latymer Way. *N9* —1E **24**
Lauder Ct. *N14* —6J **15**
Laura Clo. *Enf* —4E **16**
Laurel Bank Rd. *Enf* —7C **8**
Laurel Dri. *N21* —6A **16**
Laurel Gdns. *E4* —6D **18**
Laurel Lodge La. *Barn* —4E **4**
Laurels, The. *Wal X* —2C **2**
Laurel Vw. *N12* —2K **21**
Laurel Way. *N20* —2J **21**
Lavender Clo. *Chesh* —2D **2**
Lavender Gdns. *Enf* —7B **8**
Lavender Hill. *Enf* —7A **8**
Lavender Rd. *Enf* —7D **8**
Lawley Rd. *N14* —6F **15**
Lawn Clo. *N9* —6F **17**
Lawns, The. *E4* —4C **26**
Lawnswood. *Barn* —4G **13**
Lawrance Gdns. *Chesh* —3H **3**
Lawrence Av. *E17* —7K **25**
Lawrence Av. *N13* —3B **24**
Lawrence Av. *NW7* —3A **20**
Lawrence Campe Clo. *N20* —2B **22**
Lawrence Ct. *NW7* —4A **20**
Lawrence Gdns. *NW7* —2B **20**
Lawrence Hill. *E4* —1C **26**
Lawrence Rd. *N18* —3H **25**
(in two parts)
Lawrence St. *NW7* —3B **20**
Lawson Rd. *Enf* —7J **9**
Lawton Rd. *Cockf* —2B **14**
Layard Rd. *Enf* —7F **9**
Lea Ct. *E4* —1E **26**
Leadale Av. *E4* —1C **26**
Leadbeaters Clo. *N11* —4D **22**
Leaforis Rd. *Chesh & Wal X* —3E **2**
Lea Mt. *G Oak* —3C **2**
Lea Rd. *Enf* —7D **8**
Lea Rd. *Wal A* —2C **10**
Lea Rd. Ind. Pk. *Wal A* —2C **10**
Lea Rd. Trad. Est. *Wal A* —2C **10**
Leaside Bus. Cen. *Enf* —1B **18**
Leathersellers Clo. *Barn* —2G **13**
Lea Valley Rd. *Enf & E4* —4A **18**
Lea Valley Trad. Est. *N18* —5K **25**
Lea Valley Viaduct. *N18 & E4* —4K **25**
Lea Vw. *Wal A* —1D **10**
Leda Av. *Enf* —6K **9**
Lee Clo. *E17* —7K **25**
Lee Clo. *Barn* —3A **14**
Leecroft Rd. *Barn* —4G **13**
Leeds St. *N18* —4G **25**
Lee Pk. Way. *N18 & N9* —3K **25**
Lee Rd. *NW7* —6F **21**
Lee Rd. *Enf* —5G **17**
Leeside. *Barn* —4G **13**
Leeside. *Pot B* —1B **6**
Leeside Ind. Est. *N17* —6J **25**
Leeside Rd. *N17* —5H **25**
Leeside Works. *N17* —6J **25**
**Lee Valley Leisure Golf Course. —6A 18**
Lee Vw. *Enf* —7B **8**
Legion Way. *N12* —6C **22**
Leicester Rd. *Barn & New Bar* —4K **13**
Leigh Hunt Dri. *N14* —7H **15**
Leighton Ct. *Chesh* —4H **3**
Leighton Rd. *Enf* —4F **17**
Leisure Way. *N12* —6B **22**
Leith Rd. *N22* —7B **24**
Lena Kennedy Clo. *E4* —5E **26**
Lensbury Clo. *Chesh* —3J **3**
Leonard Rd. *E4* —5C **26**
Leonard Rd. *N9* —2F **25**
Leopold Rd. *N18* —4H **25**
Lerwick Ct. *Enf* —4E **16**
Leven Clo. *Wal X* —1K **9**
Leven Dri. *Wal X* —1K **9**
Leverton Way. *Wal A* —1E **10**
Lewes Rd. *N12* —4C **22**
Lewis Av. *E17* —7C **26**
Lewis Clo. *N14* —6G **15**
Lewis Gdns. *N2* —7B **22**
*Lexden Ter. Wal A —2E* ***10***
*(off Sewardstone Rd.)*
Lexington Way. *Barn* —3F **13**
Leyburn Gro. *N18* —5G **25**
Leyburn Rd. *N18* —5G **25**
Leyland Av. *Enf* —1A **18**
Leyland Clo. *Chesh* —3G **3**
Leyland Gdns. *Wfd G* —4K **27**
Leys Gdns. *Barn* —4E **14**
Leys Rd. E. *Enf* —7A **10**
Leys Rd. W. *Enf* —7A **10**
Leys Sq. *N3* —7K **21**
Liberty M. *N22* —7B **24**
Libra Ct. *E4* —3C **26**
Lichfield Clo. *Barn* —2D **14**
Lichfield Gro. *N3* —7J **21**
Lichfield Rd. *N9* —1G **25**
Lichfield Rd. *Wfd G* —3G **27**
Lidbury Rd. *NW7* —5G **21**
Lido Sq. *N17* —7D **24**
Lieutenant Ellis Way. *Chesh & Wal X* —5D **2**
Light App. *NW9* —7B **20**
Lightcliffe Rd. *N13* —3A **24**
Lightswood Clo. *Chesh* —2B **2**
Lilac Clo. *E4* —5B **26**
Lilac Clo. *Chesh* —6F **3**
Lilacs Av. *Enf* —4J **9**
Lilian Gdns. *Wfd G* —7K **27**
Lilley La. *NW7* —4A **20**
Lime Gro. *E4* —5B **26**
Lime Gro. *N20* —7H **13**
Limes Av. *N12* —3A **22**
Limes Av. *NW7* —5A **20**
Limes Av., The. *N11* —4F **23**
Limes Clo. *N11* —4G **23**
Limes Rd. *Chesh* —7J **3**
Lime Tree Wlk. *Enf* —6C **8**
Lincoln Av. *N14* —2G **23**
Lincoln Ct. *Borwd* —4A **12**
Lincoln Cres. *Enf* —4E **16**
Lincoln Rd. *E18* —7H **27**
Lincoln Rd. *Enf* —3E **16**
Lincolns, The. *NW7* —2B **20**
Lincoln Way. *Enf* —4H **17**
Lindal Cres. *Enf* —3J **15**
Linden Av. *Enf* —7G **9**
Linden Clo. *N14* —5G **15**
Linden Clo. *Wal X* —5F **3**
Linden Cres. *Wfd G* —5K **27**
Linden Gdns. *Enf* —7G **9**
Linden Rd. *N11* —1D **22**
Lindens, The. *N12* —4B **22**
Linden Way. *N14* —5G **15**
Lindhill Clo. *Enf* —1K **17**
*Lindholme Ct. NW9 —7A* ***20***
*(off Pageant Av.)*
Lindsay Pl. *Chesh* —5F **3**
*Lindsey Ct. N13 —2A* ***24***
*(off Green Lanes)*
Lingfield Clo. *Enf* —5E **16**
Lingfield Gdns. *N9* —6H **17**
Lingholm Way. *Barn* —4F **13**
Lingrove Gdns. *Buck H* —1K **27**
Linklea Clo. *NW9* —6A **20**
Link Rd. *N11* —3E **22**
Links Dri. *N20* —7J **13**
Linkside. *N12* —5J **21**
Linkside Clo. *Enf* —2K **15**
Linkside Gdns. *Enf* —2K **15**
Links Rd. *Wfd G* —4J **27**
Links Side. *Enf* —2K **15**
Links, The. *Chesh* —1H **3**
Links Vw. *N3* —6H **21**
Link, The. *Enf* —7A **10**
Linkway, The. *Barn* —5K **13**
Linley Rd. *N17* —7E **24**
Linnell Rd. *N18* —4G **25**
Linnet Clo. *N9* —7K **17**
Linnett Clo. *E4* —3E **26**
Linthorpe Rd. *Cockf* —2C **14**
Linwood Cres. *Enf* —7G **9**
Lion Rd. *N9* —1G **25**
Lippitts Hill. *Lou* —7G **11**
Lister Gdns. *N18* —4C **24**
Liston Rd. *N17* —7G **25**
Liston Way. *Wfd G* —6K **27**
Littlebrook Gdns. *Chesh* —5H **3**
Lit. Bury St. *N9* —7D **16**
Little Cedars. *N12* —3A **22**
Lit. Friday Rd. *E4* —1G **27**
Littlegrove. *E Barn* —5C **14**
Lit. Grove Av. *Chesh* —2C **2**
Little Larkins. *Barn* —5G **13**
Lit. Park Gdns. *Enf* —2C **16**
Lit. Pipers Clo. *G Oak* —4A **2**
Lit. Stock Rd. *Chesh* —1B **2**
Little Strand. *NW9* —7B **20**
Little St. *Wal A* —4E **10**
Littleton Av. *E4* —7H **19**
Livingstone Rd. *N13* —5J **23**
Lloyd M. *Enf* —6C **10**
Lloyd Thomas Ct. *N22* —6K **23**
Lockfield Av. *Brim & Enf* —1A **18**
Lockhart Clo. *Enf* —4H **17**
Lockswood Clo. *Barn* —3D **14**
Lockwood Way. *E17* —7K **25**
Lodge Clo. *N18* —4C **24**
Lodge Cres. *Wal X* —2K **9**
Lodge Dri. *N13* —3A **24**
Lodge La. *N12* —4A **22**
Lodge La. *Wal A* —3F **11**
Lodge Vs. *Wfd G* —5H **27**
Logan Clo. *Enf* —7K **9**
Logan Rd. *N9* —1H **25**
Lombard Av. *Enf* —7J **9**
Lombard Rd. *N11* —4F **23**
London Rd. *Enf* —2D **16**
Longacre Clo. *Enf* —2C **16**
Longacre Rd. *E17* —7F **27**
Long Cft. Dri. *Wal X* —2B **10**
Longcrofts. *Wal A* —2G **11**
Long Deacon Rd. *E4* —7G **19**
Long Fld. *NW9* —6A **20**
Longfield Av. *NW7* —6C **20**
Longfield Av. *Enf* —5J **9**
Longfield La. *Chesh* —2E **2**
Longland Dri. *N20* —2K **21**
Longlands Clo. *Chesh* —7H **3**
Long La. *N3 & N2* —7K **21**
Longleat Rd. *Enf* —4E **16**
Long Leys. *E4* —5D **26**
Long Mead. *NW9* —7B **20**
Long Moor. *Chesh* —4J **3**
Longmore Av. *Barn* —5A **14**
Longshaw Rd. *E4* —2F **27**
Loning, The. *Enf* —6J **9**
Lonsdale Dri. *Enf* —3H **15**
Lopen Rd. *N18* —3E **24**
Loraine Clo. *Enf* —4J **17**
Lordship La. *N22 & N17* —7A **24**
Lordship Rd. *Chesh* —5F **3**
Lordsmead Rd. *N17* —7E **24**
Lorian Clo. *N12* —3K **21**
Loring Rd. *N20* —1C **22**
Loughton Ct. *Wal A* —1K **11**
Louise Ct. *N22* —7A **24**
Louis M. *N10* —7F **23**
*Lousada Lodge. N14 —5G* ***15***
*(off Avenue Rd.)*
Lovelace Rd. *Barn* —6C **14**
Love La. *N17* —6F **25**
Lovell Rd. *Enf* —3H **9**
Lovering Rd. *Chesh* —1A **2**
Lovers Wlk. *NW7 & N3* —5H **21**
Lowden Rd. *N9* —7H **17**
**Lower Edmonton. —2G 25**
Lwr. Hall La. *E4* —4A **26**
(in two parts)
Lwr. Island Way. *Wal A* —3E **10**
Lwr. Kenwood Av. *Enf* —4J **15**
Lwr. Maidstone Rd. *N11* —5G **23**
Lower Mdw. *Chesh* —2H **3**
Lwr. Park Rd. *N11* —4G **23**
Lower Shott. *Chesh* —1D **2**
Low Hall Clo. *E4* —6D **18**
*Lowry Ho. N17 —7F* ***25***
*(off Pembury Rd.)*
Lowther Dri. *Enf* —3J **15**
Loxham Rd. *E4* —6D **26**
Lucan Rd. *Barn* —2G **13**
Lucas Ct. *Wal A* —1H **11**
**Lucas End. —2A 2**
Lucern Clo. *Chesh* —2C **2**
Lucerne Clo. *N13* —2J **23**
Lucinda Ct. *Enf* —4E **16**
Luctons Av. *Buck H* —7K **19**
Ludford Clo. *NW9* —7A **20**
Lukin Cres. *E4* —2F **27**
Lullington Gth. *N12* —4H **21**
Lulworth Av. *G Oak* —4A **2**
Lydia Ct. *N12* —5A **22**
Lymington Av. *N22* —7B **24**
Lynbridge Gdns. *N13* —3B **24**
Lyndhurst Av. *N12* —5D **22**
Lyndhurst Av. *NW7* —5A **20**
Lyndhurst Ct. *E18* —7J **27**
Lyndhurst Gdns. *N3* —7G **21**
Lyndhurst Gdns. *Enf* —3E **16**
Lyndhurst Rd. *E4* —6E **26**
Lyndhurst Rd. *N18* —3G **25**
Lyndhurst Rd. *N22* —5A **24**
Lyne Cres. *E17* —7B **26**
Lynford Clo. *Barn* —4B **12**
Lynford Ter. *N9* —7F **17**
Lynmouth Av. *Enf* —5F **17**
Lynn St. *Enf* —7D **8**
Lynton Av. *N12* —3B **22**
Lynton Crest. *Pot B* —1J **5**
Lynton Gdns. *N11* —5H **23**
Lynton Gdns. *Enf* —6E **16**
Lynton Mead. *N20* —2J **21**
Lynton Pde. *Chesh* —5J **3**
Lynton Rd. *E4* —4D **26**
Lynwood Clo. *E18* —7K **27**
Lynwood Gro. *N21* —7A **16**
**Lyonsdown. —4A 14**
Lyonsdown Av. *New Bar* —5A **14**

Lyonsdown Rd. Barn & New Bar —5A 14
Lytchet Way. Enf —7J 9
Lytton Av. N13 —1A 24
Lytton Av. Enf —6A 10
Lytton Rd. Barn & New Bar —3A 14

Macaret Clo. N20 —6K 13
McClintock Pl. Enf —5D 10
Macdonald Rd. E17 —7E 26
Macdonald Rd. N11 —4D 22
McEntee Av. E17 —7A 26
McGredy. Chesh —4F 3
Macintosh Clo. Chesh —1B 2
Macleod Rd. N21 —4J 15
Madeira Gro. Wfd G —5K 27
Madeira Rd. N13 —3B 24
Mafeking Rd. Enf —2F 17
Magnolia Lodge. E4 —2D 26
Magpie Clo. Enf —7G 9
Mahon Clo. Enf —7F 9
Maida Av. E4 —6D 18
Maida Way. E4 —6D 18
Maidstone Rd. N11 —5H 23
Main Av. Enf —4F 17
Malcombs Way. N14 —4G 15
Maldon Rd. N9 —2F 25
Malham Clo. N11 —5E 22
Malham Ter. N18 —5H 25
(off Dysons Rd.)
Malins Clo. Barn —4D 12
Mallard Clo. New Bar —5B 14
Mallards Rd. Wfd G —6K 27
Mallion Ct. Wal A —1H 11
Mallory Gdns. E Barn —6E 14
Mallow Mead. NW7 —6G 21
Mallow Wlk. G Oak —3B 2
Mall, The. N14 —2J 23
Malmesbury Rd. E18 —7H 27
Maltby Dri. Enf —6H 9
Malvern Av. E4 —6F 27
Malvern Dri. Wfd G —4K 27
Malvern Rd. Enf —5A 10
Malvern Ter. N9 —7F 17
Mandeville Ct. E4 —4A 26
Mandeville Rd. N14 —1F 23
Mandeville Rd. Enf —4K 9
Mandeville Rd. Pot B —1A 6
Manesty Ct. N14 —6H 15
(off Ivy Rd.)
Manly Dixon Dri. Enf —5A 10
Manor Clo. E17 —7A 26
Manor Clo. NW7 —4A 20
Manor Clo. Barn —3G 13
Manor Ct. E4 —7G 19
Manor Ct. N14 —1H 23
Manor Ct. N20 —2D 22
(off York Way)
Manor Ct. Chesh —6H 3
Manor Ct. Enf —4H 9
Manor Ct. Pot B —1H 5
Manorcroft Pde. Chesh —5H 3
Manor Dri. N14 —7F 15
Manor Dri. N20 —3D 22
Manor Dri. NW7 —4A 20
Mnr. Farm Dri. E4 —2G 27
Mnr. Farm Rd. Enf —3H 9
Manor Rd. E17 —7A 26
Manor Rd. N17 —7G 25
Manor Rd. N22 —5J 23
Manor Rd. Barn —3G 13
Manor Rd. Enf —1C 16
Manor Rd. H Bee —7K 11
Manor Rd. Lou —5K 19
Manor Rd. Wal A —1F 11
Manorside. Barn —3G 13
Manor Vw. N3 —7K 21
Manor Way. E4 —3F 27
Manor Way. Chesh —5J 3
Manorway. Enf —6E 16
Mansel Gro. E17 —7C 26
Mansfield Av. Barn —5D 14
Mansfield Clo. N9 —5G 17
Mansfield Hill. E4 —6D 18
Manston Clo. Chesh —5G 3
Manton Rd. Enf —5C 10
Manus Way. N20 —1A 22
Maple Av. E4 —4B 26
Maple Gdns. Edgw —6A 20
Maple Pl. N17 —6G 25
Maple Springs. Wal A —1J 11
Maples, The. G Oak —3C 2

Mapleton Cres. Enf —6J 9
Mapleton Rd. E4 —2E 26
Mapleton Rd. Enf —1H 17
Maplin Clo. N21 —5K 15
Mapperley Dri. Wfd G —6G 27
March. NW9 —7B 20
(off Concourse, The)
Mardale Ct. NW7 —6C 20
Maresby Ho. E4 —1D 26
Margaret Av. E4 —5D 18
Margaret Clo. Pot B —1A 6
Margaret Clo. Wal A —1F 11
Margaret Ct. Barn —3B 14
Margaret Rd. Barn —3B 14
Margherita Pl. Wal A —2H 11
Margherita Rd. Wal A —2J 11
Marigold Rd. N17 —6J 25
Marina Gdns. Chesh —5G 3
Marion Gro. Wfd G —4G 27
Marion Rd. NW7 —4C 20
Mark Av. E4 —5D 18
Market Chambers. Enf —2D 16
(off Church St.)
Market Pde. N9 —1G 25
(off Winchester Rd.)
Market Pl. Enf —2D 16
Market Sq. Wal A —1E 10
Market Sq., The. N9 —1H 25
(off Plevna Rd.)
Markfield Gdns. E4 —6D 18
Markham Rd. Chesh —1A 2
Mark Lodge. Cockf —3C 14
(off Edgeworth Rd.)
Mark Rd. N22 —7B 24
Marlborough Av. N14 —2G 23
Marlborough Clo. N20 —2D 22
Marlborough Ct. Enf —4E 16
Marlborough Gdns. N20 —2D 22
Marlborough Rd. E4 —5D 26
Marlborough Rd. N9 —7F 17
Marlborough Rd. N22 —6J 23
Marlow Ct. N14 —6G 15
Marmion App. E4 —3C 26
Marmion Av. E4 —3B 26
Marmion Clo. E4 —3B 26
Marne Av. N11 —3F 23
Marquis Rd. N22 —5K 23
Marrilyne Av. Enf —6B 10
Marriott Rd. N10 —7D 22
Marriott Rd. Barn —2F 13
Marryat Rd. Enf —3H 9
Marsden Rd. N9 —1H 25
Marshall Est. NW7 —3C 20
Marshall Rd. N17 —7D 24
Marshalls Clo. N11 —3F 23
Marsh Clo. NW7 —2B 20
Marsh Clo. Wal X —1A 10
Marshcroft Dri. Chesh —5J 3
Marshe Clo. Pot B —1B 6
Marsh La. N17 —7H 25
Marsh La. NW7 —2A 20
Marshside Clo. N9 —7J 17
Marten Rd. E17 —7C 26
Martinbridge Trad. Est. Enf —4G 17
Martin Clo. N9 —7K 17
Martin Dale Ind. Est. Enf —2H 17
Martin Dri. Enf —5C 10
Martins Dri. Chesh —3J 3
Martins Mt. New Bar —3J 13
Martins Wlk. N10 —7E 22
Martock Gdns. N11 —4D 22
Martynside. NW9 —7B 20
Maryland Rd. N22 —5K 23
Mary Rose Way. N20 —7B 14
Masefield Ct. New Bar —3A 14
Masefield Cres. N14 —4G 15
Mason Rd. Wfd G —3G 27
Mason's Pde. G Oak —3A 2
Masons Rd. Enf —4H 9
Mason Way. Wal A —1G 11
Massey Clo. N11 —4F 23
Matlock Clo. Barn —4F 13
Matson Ct. E4 —6G 27
Matthews Wlk. E17 —7C 26
(off Chingford Rd.)
Maurice Brown Clo. NW7 —4F 21
Maxfield Clo. N20 —6A 14
Maxim Rd. N21 —5A 16
Maxwelton Av. NW7 —4A 20
Maxwelton Clo. NW7 —4A 20
Maya Angelou Ct. E4 —3E 26
Maybank Av. E18 —7K 27
Maybank Rd. E18 —7K 27

Maybury Av. Chesh —3F 3
Maybury Clo. Enf —6H 9
Maycroft Rd. Chesh —1C 2
Mayer Rd. Wal A —4D 10
Mayfair Gdns. N17 —5C 24
Mayfair Gdns. Wfd G —6J 27
Mayfair Ter. N14 —6H 15
Mayfield. Wal A —2F 11
Mayfield Av. N12 —3A 22
Mayfield Av. N14 —1H 23
Mayfield Av. Wfd G —5J 27
Mayfield Ct. Wal A —2J 11
(off Lamplighters Clo.)
Mayfield Cres. N9 —5H 17
Mayfield Rd. E4 —1E 26
Mayfield Rd. E17 —7A 26
Mayfield Rd. Enf —1K 17
Mayhew Clo. E4 —2C 26
Mayhill Rd. Barn —5G 13
Maynard Ct. Wal A —2H 11
Mayo Clo. Chesh —3G 3
May Rd. E4 —5C 26
Mays La. Barn —6D 12
Mead Ct. Wal A —2D 10
Mead Cres. E4 —3E 26
Meadow Bank. N21 —5K 15
Meadowbank Clo. Barn —4C 12
Meadowbanks. Barn —4C 12
Meadow Clo. E4 —7D 18
Meadow Clo. Barn —5H 13
Meadow Clo. Enf —6A 10
Meadowcroft Clo. N13 —1A 24
Meadowcroft Rd. N13 —1A 24
Meadowcross. Wal A —2G 11
Meadows, The. S Mim —1C 4
Meadow Way. Pot B —2J 5
Meads Rd. Enf —7A 10
Meads, The. Edgw —5A 20
Mead, The. Chesh —4G 3
Meadway. N14 —1H 23
Meadway. Barn & New Bar —3J 13
Meadway. Enf —4J 9
Meadway Clo. Barn —3J 13
Medcalf Rd. Enf —5B 10
Medesenge Way. N13 —5B 24
Melbourne Av. N13 —5K 23
Melbourne Ct. N10 —6F 23
Melbourne Way. Enf —5F 17
Meldex Clo. NW7 —5E 20
Melling Dri. Enf —7G 9
Mellish Gdns. Wfd G —4J 27
Melrose Av. N22 —7B 24
Melrose Av. Pot B —1J 5
Melrose Ct. Chesh —4H 3
Melville Gdns. N13 —4B 24
Melville Ho. New Bar —4B 14
Melvyn Clo. G Oak —3A 2
Menlo Lodge. N13 —2K 23
(off Crothall Clo.)
Mercury. NW9 —7B 20
(off Concourse, The)
Meridian Wlk. N17 —5E 24
Meridian Way. N18 & N9 —4J 25
Merlin. NW9 —7B 20
(off Concourse, The)
Merlin Clo. Wal A —2J 11
Merriam Clo. E4 —4E 26
Merridene. N21 —5B 16
Merrivale. N14 —5H 15
Merryhill Clo. E4 —6D 18
Merryhills Ct. N14 —4G 15
Merryhills Dri. Enf —3H 15
Merton Lodge. New Bar —4A 14
Merton Rd. Enf —6D 8
Metford Cres. Enf —6C 10
Metheringham Way. NW9 —7A 20
Meux Clo. Chesh —6E 2
Mews Pl. Wfd G —3J 27
Meyer Grn. Enf —6G 9
Michelle Ct. N12 —4A 22
Michleham Down. N12 —3H 21
Middle Dene. NW7 —2A 20
Middleham Gdns. N18 —5G 25
Middleham Rd. N18 —5G 25
Middle Rd. E Barn —5C 14
Middlesborough Rd. N18 —5G 25
Middleton Av. E4 —3B 26
Middleton Clo. E4 —2B 26
Mile Clo. Wal A —1E 10
Mile End, The. E17 —7K 25
Milespit Hill. NW7 —4D 20
Milestone Clo. N9 —1G 25
Miles Way. N20 —1C 22

Milkwell Gdns. Wfd G —6K 27
Millais Rd. Enf —4F 17
Mill Bri. Barn —5H 13
Millbrook Rd. N9 —7H 17
Mill Corner. Barn —7H 5
Millcrest Rd. G Oak —3A 2
Miller Av. Enf —6C 10
Millers Clo. NW7 —3C 20
Millers Grn. Clo. Enf —2B 16
Millfield Av. E17 —7A 26
**Mill Hill. —4A 20**
Mill Hill Circus. (Junct.) —4B 20
Mill Hill Ind. Est. NW7 —5B 20
Mill Hill Pk. —5B 20
Millhoo Ct. Wal A —2H 11
Mill Ho. Wfd G —4H 27
Millicent Fawcett Ct. N17 —7F 25
Milling Rd. Edgw —6A 20
Mill La. E4 —2D 18
Mill La. Chesh —3J 3
Mill La. Wfd G —4H 27
Millmarsh La. Brim & Enf —1A 18
Mill River Trad. Est. Enf —2A 18
Millson Clo. N20 —1B 22
Millstream Clo. N13 —4A 24
Millway. NW7 —3A 20
Milton Av. Barn —4H 13
Milton Ct. Wal A —2E 10
Milton Gro. N11 —4G 23
Milton Rd. NW7 —4C 20
Milton St. Wal A —2E 10
Mimms Hall Rd. Pot B —1F 5
Mimms La. Shenl & Ridge —1A 4
Minchenden Ct. N14 —1H 23
Minchenden Cres. N14 —2G 23
Minerva Rd. E4 —6D 26
Mintern Clo. N13 —2B 24
Mitchell. NW9 —7B 20
(off Concourse, The)
Mitchell Rd. N13 —4C 24
Moat Mount Open Space. —7A 12
Moat Side. Enf —3K 17
Moffat Rd. N13 —5J 23
Moineau. NW9 —7B 20
(off Concourse, The)
Moira Clo. N17 —7E 24
Mokswell Ct. N10 —7E 22
Mollison Av. Enf —3A 10
Monarchs Way. Wal X —2A 10
Monastery Gdns. Enf —1D 16
Monica Ct. Enf —4E 16
**Monken Hadley. —1H 13**
Monken Hadley Common. —1K 13
Monkfrith Av. N14 —5F 15
Monkfrith Clo. N14 —6F 15
Monkfrith Way. N14 —6E 14
Monkham's Av. Wfd G —4K 27
Monkham's Dri. Wfd G —4K 27
Monkham's La. Buck H —2K 27
Monkham's La. Wfd G —4J 27
(in two parts)
Monks Av. Barn —5A 14
Monks Clo. Enf —1C 16
Monks Rd. Enf —1B 16
Monkswood Av. Wal A —1F 11
Monmouth Rd. N9 —1H 25
Monoux Gro. E17 —7C 26
Monroe Cres. Enf —7H 9
Monro Ind. Est. Wal X —2A 10
Montagu Cres. N18 —3H 25
Montagu Gdns. N18 —3H 25
Montagu Rd. N18 & N9 —4H 25
Montagu Rd. Ind. Est. N18 —3J 25
Montalt Rd. Wfd G —3H 27
Montayne Rd. Chesh —7H 3
Monterey Pl. Shop. Cen. NW7 —4A 20
Montgomery Dri. Chesh —3J 3
Montpelier Rd. N3 —7A 22
Montrose Av. Edgw —7A 20
Montrose Clo. Wfd G —3J 27
Montrose Cres. N12 —5A 22
Montserrat Av. Wfd G —6F 27
Moon La. Barn —2H 13
Moorfield Rd. Enf —7J 9
Moorhouse. NW9 —7B 20
Moorlands Av. NW7 —5D 20
Morant Pl. N22 —7K 23
Morecambe Ter. N18 —3D 24
(off Gt. Cambridge Rd.)
Moree Way. N18 —3G 25
Moreland Way. E4 —2D 26
Moremead. Wal A —1F 11
Moreton Clo. NW7 —5E 20

Moreton Clo. Chesh —2F 3
Morland Way. Chesh —3J 3
Morley Av. E4 —6F 27
Morley Av. N18 —3G 25
Morley Av. N22 —7A 24
Morley Ct. E4 —4B 26
Morley Hill. Enf —6D 8
Mornington Clo. Wfd G —3J 27
Mornington Rd. E4 —6F 19
Mornington Rd. Wfd G —3H 27
Morpeth Wlk. N17 —6H 25
Morrell Clo. New Bar —2A 14
Morris Ct. E4 —2D 26
Morris Ct. Wal A —2H 11
Morrison Ct. Barn —3G 13
(off Manor Way)
Morson Rd. Enf —5A 18
Morteyne Rd. N17 —7D 24
Mortimer Dri. Enf —5D 16
Mortimer Ga. Chesh —2K 3
Morton Cres. N14 —3H 23
Morton Way. N14 —2G 23
Moselle Av. N22 —7A 24
Moselle Ho. N17 —6F 25
(off William St.)
Moselle Pl. N17 —6F 25
Moselle St. N17 —6F 25
Mossborough Clo. N12 —5K 21
Moss Hall Ct. N12 —5K 21
Moss Hall Cres. N12 —5K 21
Moss Hall Gro. N12 —5K 21
Mosswell Ho. N10 —7E 22
Mostyn Rd. Edgw —6A 20
Mota M. N3 —7J 21
Mottingham Rd. N9 —5K 17
Mott St. E4 & Lou —6F 11
Mount Av. E4 —2C 26
Mount Clo. Cockf —3E 14
Mt. Echo Av. E4 —1D 26
Mt. Echo Dri. E4 —7D 18
Mount Pde. Barn —3C 14
Mount Pleasant. N14 —6H 15
(off Wells, The)
Mount Pleasant. Barn —3C 14
Mt. Pleasant Rd. E17 —7A 26
Mt. Pleasant Rd. N17 —7E 24
Mount Rd. Barn —4C 14
Mount, The. N20 —1A 22
Mount, The. Chesh —1B 2
Mount Vw. NW7 —2A 20
Mount Vw. Enf —6K 7
Mount Vw. Rd. E4 —6F 19
Mountview Rd. Chesh —1C 2
Mowbray Ct. N22 —7A 24
Mowbray Rd. New Bar —4A 14
Mowlem Trad. Est. N17 —6J 25
Moxom Av. Chesh —5J 3
Moxon St. Barn —2H 13
Moynihan Dri. N21 —4J 15
Mulberry Clo. E4 —1C 26
Mulberry Clo. Barn —3B 14
Mulberry Way. E18 —7K 27
Mundells. Chesh —2E 2
Munro Dri. N11 —5G 23
Munster Gdns. N13 —3B 24
Musgrave Clo. Barn —7A 6
Musgrave Clo. Chesh —2D 2
Muskalls Clo. Chesh —2E 2
Musket Clo. E Barn —5B 14
Muswell Av. N10 —7F 23
Mutton La. Pot B & S Mim —1H 5
Myddelton Av. Enf —6E 8
Myddelton Clo. Enf —7F 9
Myddelton Gdns. N21 —6C 16
Myddelton Pk. N20 —2B 22
Myddleton M. N22 —6J 23
Myddleton Path. Chesh —6F 3
Myddleton Rd. N22 —6J 23
Myles Ct. G Oak —4A 2
Mylne Clo. Chesh —2G 3
Myrtle Clo. E Barn —7D 14
Myrtle Gro. Enf —6D 8
Myrtle Rd. N13 —2C 24

**N**ags Head Rd. Enf —3J 17
Nan Clark's La. NW7 —1A 20
Nansen Village. N12 —3K 21
Napier. NW9 —7B 20
Napier Ct. Chesh —3F 3
Napier Rd. Enf —4K 17
Nardini. NW9 —7B 20
(off Concourse, The)
Nash Rd. N9 —1J 25
Natal Rd. N11 —5J 23
Nathan Ct. N9 —6J 17
(off Causeyware Rd.)
Nation Way. E4 —7E 18
Navestock Clo. E4 —2E 26
Navestock Cres. Wfd G —6K 27
Navigation Dri. Enf —6C 10
Naylor Gro. Enf —4K 17
Naylor Rd. N20 —1A 22
Neal Ct. Wal A —1H 11
Near Acre. NW9 —7B 20
Neatby Ct. Chesh —3H 3
Nelson Rd. E4 —5D 26
Nelson Rd. N9 —1H 25
Nelson Rd. Enf —5K 17
Nesbitts All. Barn —2H 13
Nesta Rd. Wfd G —5G 27
Nestor Av. N21 —5B 16
Netherby Gdns. Enf —3J 15
Nether Clo. N3 —6J 21
Nethercourt Av. N3 —5J 21
Netherfield Rd. N12 —4K 21
Netherlands Rd. Barn & New Bar —5B 14
Nether St. N3 & N12 —7J 21
Neville Ho. N11 —3E 22
Neville Ho. N22 —7K 23
(off Neville Pl.)
Neville Pl. N22 —7K 23
Nevin Dri. E4 —7D 18
Newark Grn. Borwd —2A 12
**New Barnet. —3B 14**
Newbury Av. Enf —6B 10
Newbury Ho. N22 —7J 23
Newbury Rd. E4 —5E 26
Newby Clo. Enf —1E 16
Newcombe Pk. NW7 —4A 20
New Cotts. Wal X —2J 9
Newdales Clo. N9 —1G 25
New Ford Rd. Wal X —2B 10
Newgate St. E4 —2G 27
(in two parts)
Newhall Ct. Wal A —1H 11
Newham Grn. N22 —7A 24
New Jubilee Ct. Wfd G —6J 27
Newland Dri. Enf —7H 9
Newlands Pl. Barn —4F 13
Newlands Rd. Wfd G —1H 27
Newlyn Rd. N17 —7F 25
Newlyn Rd. Barn —3H 13
Newman's Way. Barn —7A 6
Newnham M. N22 —6K 23
Newnham Pde. Chesh —5H 3
Newnham Rd. N22 —7K 23
New Pk. Av. N13 —2C 24
New Pk. Est. N18 —4J 25
New Pk. Ho. N13 —3K 23
Newport Clo. Enf —5A 10
Newport Lodge. Enf —4E 16
(off Village Rd.)
New River Ct. Chesh —6F 3
New River Cres. N13 —3B 24
New River Trad. Est. Chesh —1H 3
New Rd. E4 —3D 26
New Rd. N9 —2G 25
New Rd. N17 —7F 25
New Rd. N22 —7C 24
New Rd. NW7 —6B 12
(Highwood Hill)
New Rd. NW7 —6G 21
(Mill Hill)
New Rd. S Mim —1C 4
Newsholme Av. N21 —4K 15
**New Southgate. —4F 23**
New Southgate Crematorium. N11 —2F 23
New Southgate Ind. Est. N11 —4G 23
Newstead Clo. N12 —5C 22
Newteswell Dri. Wal A —1F 11
Newton Av. N10 —7E 22
Newton Way. N18 —4C 24
Niagara Clo. Chesh —4H 3
Nichol Clo. N14 —7H 15
Nicoll Ct. N10 —6F 23
Nicoll Way. Borwd —4A 12
Nicolson. NW9 —7A 20
Nigel Ct. N3 —6K 21
Nighthawk. NW9 —7B 20
Nightingale Av. E4 —4G 27
Nightingale Clo. E4 —3F 27
Nightingale Rd. N9 —5J 17
Nightingale Rd. N22 —6J 23
Nightingales. Wal A —2G 11
Nimrod. NW9 —7A 20
Ninefields. Wal A —1H 11
Niton Clo. Barn —5F 13
Nobel Rd. N18 —3J 25
Noel. NW9 —7A 20
**Noel Park. —7B 24**
Norbury Gro. NW7 —2A 20
Norbury Rd. E4 —4C 26
Norfolk Av. N13 —5B 24
Norfolk Clo. N13 —5B 24
Norfolk Clo. Barn —3E 14
Norfolk Ct. Barn —3G 13
Norfolk Rd. E17 —7K 25
Norfolk Rd. Barn —2J 13
Norfolk Rd. Enf —5H 17
Norman Av. N22 —7B 24
Norman Clo. N22 —7C 24
Norman Clo. Wal A —1F 11
Normandy Av. Barn —4H 13
Normanshire Dri. E4 —3C 26
Normanton Pk. E4 —1G 27
Norman Way. N14 —1J 23
Norris. NW9 —7B 20
(off Concourse, The)
Norry's Clo. Cockf —3D 14
Norry's Rd. Cockf —3D 14
North Acre. NW9 —7A 20
Northampton Rd. Enf —3A 18
North Av. N18 —3G 25
Northbank Rd. E17 —7E 26
Northbrook Rd. N22 —6J 23
Northbrook Rd. Barn —5G 13
N. Circular Rd. E4 —5B 26
N. Circular Rd. N3 —7A 22
N. Circular Rd. N13 —4A 24
Northcliffe Dri. N20 —7H 13
North Clo. Barn —4E 12
Northcott Av. N22 —7J 23
N. Countess Rd. E17 —7B 26
North Dene. NW7 —2A 20
North End. Buck H —6K 19
Northern Av. N9 —1E 24
Northfield Rd. Barn —2C 14
Northfield Rd. Enf —4H 17
Northfield Rd. Wal X —7J 3
**North Finchley. —4A 22**
Northgate Bus. Pk. Enf —2H 17
North Grn. NW9 —6A 20
Northiam. N12 —3J 21
(in two parts)
North Lodge. New Bar —4A 14
NORTH LONDON HOSPICE. —2A 22
NORTH LONDON NUFFIELD HOSPITAL, THE. —1A 16
North Mall. N9 —1H 25
(off Plevna Rd.)
NORTH MIDDLESEX HOSPITAL, THE. —4E 24
North Mt. N20 —1A 22
(off High Rd.)
North Pl. Wal A —1D 10
North Rd. N2 —7C 22
North Rd. N9 —7H 17
North Rd. Wal X —1A 10
North Sq. N9 —1H 25
(off Hertford Rd.)
Northumberland Av. Enf —7H 9
Northumberland Gdns. N9 —2F 25
Northumberland Gro. N17 —6H 25
Northumberland Pk. N17 —6F 25
Northumberland Pk. Ind. Est. N17 —6H 25
Northumberland Rd. New Bar —5A 14
North Way. N9 —1K 25
North Way. N11 —5G 23
Northway Cir. NW7 —3A 20
Northway Cres. NW7 —3A 20
Northwood Clo. Chesh —2D 2
Northwood Gdns. N12 —4B 22
Norton Almshouses. Chesh —5H 3
(off Turner's Hill)
Norton Clo. E4 —4C 26
Norton Clo. Enf —1H 17
Norwood Rd. Chesh —5J 3
Nunns Rd. Enf —1C 16
Nunsbury Dri. Brox —1J 3
Nupton Dri. Barn —5E 12
Nursery App. N12 —5C 22
Nursery Av. N3 —7A 22
Nursery Clo. Enf —7K 9
Nursery Clo. Wfd G —4K 27
Nursery Ct. N17 —6F 25
Nursery Gdns. Enf —7K 9
Nursery Gdns. G Oak —3B 2
Nurserymans Rd. N11 —1E 22
Nursery Rd. N2 —7B 22
Nursery Rd. N14 —6G 15
Nursery Rd. Brox —1K 3
Nursery Rd. H Bee —7K 11
Nursery Row. Barn —2G 13
Nursery St. N17 —6F 25
Nutfield Clo. N18 —5F 25

**O**ak Av. N10 —6F 23
Oak Av. N17 —6D 24
Oak Av. Enf —6K 7
Oak Clo. N14 —6F 15
Oak Clo. Wal A —2F 11
Oakdale. N14 —7F 15
Oakdale Ct. E4 —4E 26
Oakdale Gdns. E4 —4E 26
Oakdene. Chesh —5J 3
Oakdene Pk. N3 —6H 21
Oakfield. E4 —4D 26
Oakfield Gdns. N18 —3E 24
Oakfield Rd. E17 —7A 26
Oakfield Rd. N3 —7K 21
Oakfield Rd. N14 —2J 23
Oakham Clo. Barn —2D 14
Oakhampton Rd. NW7 —6F 21
Oak Hill. Wfd G —6F 27
Oak Hill Clo. Wfd G —6F 27
Oak Hill Ct. Wfd G —6F 27
Oak Hill Cres. Wfd G —6F 27
Oak Hill Gdns. Wfd G —7G 27
Oakhurst Av. Barn & E Barn —6C 14
Oakhurst Gdns. E4 —7H 19
Oakhurst Rd. Enf —4K 9
Oakington Ct. Enf —1B 16
(off Ridgeway, The)
Oakland Pl. Buck H —1J 27
Oaklands. N21 —1K 23
Oaklands Av. N9 —5H 17
Oaklands La. Barn —3D 12
Oaklands Rd. N20 —6H 13
Oaklands Rd. Chesh —1C 2
Oak La. N11 —5H 23
Oak La. Wfd G —3H 27
Oakleigh Av. N20 —1B 22
Oakleigh Clo. N20 —2D 22
Oakleigh Ct. Barn —5C 14
Oakleigh Cres. N20 —1C 22
Oakleigh Gdns. N20 —7A 14
Oakleigh M. N20 —7A 14
**Oakleigh Park. —7B 14**
Oakleigh Pk. N. N20 —7B 14
Oakleigh Pk. S. N20 —6C 14
Oakleigh Rd. N. N20 —1B 22
Oakleigh Rd. S. N11 —2E 22
Oakley Clo. E4 —2E 26
Oaklodge Way. NW7 —4B 20
Oakmede. Barn —3F 13
**Oakmere. —1A 6**
Oakmere Av. Pot B —1A 6
Oakroyd Av. Pot B —1H 5
Oakroyd Clo. Pot B —1H 5
Oaks Gro. E4 —1G 27
Oaks, The. E4 —6G 27
Oaks, The. N12 —3K 21
Oaks, The. Enf —2B 16
(off Byculllah Rd.)
Oakthorpe Ct. N13 —4C 24
Oakthorpe Pk. Est. N13 —4C 24
Oakthorpe Rd. N13 —4A 24
Oaktree Av. N13 —2B 24
Oaktree Clo. G Oak —3A 2
Oak Tree Dri. N20 —7K 13
Oakview Clo. Chesh —3F 3
Oak Way. N14 —6F 15
Oakwell Dri. N'thaw —1F 7
**Oakwood. —4G 15**
Oakwood. Wal A —3G 11
Oakwood Av. N14 —6H 15
Oakwood Clo. N14 —5G 15
Oakwood Cres. N21 —5J 15
Oakwood Lodge. N14 —5G 15
(off Avenue Rd.)
Oakwood Pk. —5J 15
Oakwood Pk. Rd. N14 —6H 15
Oakwood Vw. N14 —5H 15
Oatlands Rd. Enf —7J 9
Offham Slope. N12 —4H 21

Offord Clo. N17 —5G 25
Okehampton Clo. N12 —4B 22
Oldberry Rd. Edgw —5A 20
Oldbury Rd. Enf —1G 17
Old Church Ct. N11 —4F 23
Old Church Rd. E4 —3C 26
Old Farm Av. N14 —6G 15
Old Farm Rd. N2 —7B 22
Oldfield Clo. Chesh —3J 3
Oldfield Dri. Chesh —3J 3
Old Fold Clo. Barn —7H 5
Old Fold La. Barn —7H 5
Old Fold Manor Golf Course. —6G 5
Old Fold Vw. Barn —2E 12
*Old Forge Ct. Wal A —2J 11*
*(off Lamplighters Clo.)*
Old Forge Rd. Enf —6F 9
Old Grove Clo. Chesh —1B 2
Old Oaks. Wal A —1G 11
Old Orchard Clo. Barn —6B 6
Old Pk. Av. Enf —4C 16
Old Pk. Gro. Enf —3C 16
Oldpark Ride. Wal X —6A 2
(in three parts)
Old Pk. Ridings. N21 —5B 16
Old Pk. Rd. N13 —3K 23
Old Pk. Rd. Enf —2B 16
Old Pk. Rd. S. Enf —3B 16
Old Pk. Vw. Enf —2A 16
Old River Works. N17 —5C 24
Old Rd. Enf —7J 9
Old Shire La. Wal A —3J 11
*Olivia Ct. Enf —7C 8*
*(off Chase Side)*
Ollerton Rd. N11 —4H 23
Onslow Clo. E4 —1E 26
Onslow Gdns. N21 —4A 16
Onslow Pde. N14 —7F 15
Orchard Av. N14 —5G 15
Orchard Av. N20 —1B 22
Orchard Clo. E4 —3C 26
Orchard Ct. N14 —5G 15
Orchard Ct. New Bar —2K 13
Orchard Cres. Enf —7F 9
Orchard Gdns. Wal A —2E 10
Orchard La. Wfd G —3K 27
Orchardleigh Av. Enf —1J 17
Orchardmede. N21 —5D 16
Orchard Pl. N17 —6F 25
Orchard Rd. Barn —3H 13
Orchard Rd. Enf —4J 17
Orchard Ter. Enf —5G 17
Orchard, The. N14 —4F 15
Orchard, The. N21 —5D 16
Orchard Way. Enf —2E 16
Orchid Grange. N14 —6G 15
Orchid Rd. N14 —6G 15
Orde. NW9 —7B 20
Ordnance Rd. Enf —5K 9
Organ La. E4 —1E 26
Orion Rd. N11 —6E 22
Orpington Gdns. N18 —2E 24
Orpington Mans. N21 —7B 16
Orpington Rd. N21 —7B 16
Osborne Clo. Barn —2D 14
Osborne Rd. N13 —2A 24
Osborne Rd. Buck H —7K 19
Osborne Rd. Chesh —2J 3
Osborne Rd. Enf —1A 18
Osborn Gdns. NW7 —6F 21
**Osidge. —7F 15**
Osidge La. N14 —7E 14
Osier Cres. N10 —7D 22
Osman Rd. N9 —2G 25
Osprey Clo. E17 —6A 26
Osprey Ct. Wal A —2J 11
Osprey M. Enf —4J 17
Osprey Rd. Wal A —2J 11
Ostell Cres. Enf —6C 10
Ostliffe Rd. N13 —4C 24
Osward Pl. N9 —1H 25
Otterbourne Rd. E4 —2F 27
Otways Clo. Pot B —1K 5
Ousden Clo. Chesh —5J 3
Ousden Dri. Chesh —5J 3
Outram Rd. N22 —7H 23
Overton Rd. N14 —4J 15
Owen Rd. N13 —4C 24
Owl Cvn. Site, The. Lou —2H 19
Oxford Clo. N9 —1H 25
Oxford Clo. Chesh —4H 3
Oxford Gdns. N20 —7B 14
Oxford Gdns. N21 —6C 16
Oxford Rd. N9 —1H 25
Oxford Rd. Enf —4H 17
Oxleys Rd. Wal A —1J 11

Packhorse La. Borwd —5A 4
*Paddock Lodge. Enf —4E 16*
*(off Village Rd.)*
Paddocks, The. Cockf —2D 14
Padgets, The. Wal A —2G 11
Padstow Rd. Enf —7B 8
Pageant Av. NW9 —7A 20
Page Mdw. NW7 —6D 20
Pages Hill. N10 —7E 22
Page St. NW7 —7C 20
Pagitts Gro. Barn —7K 5
Painters La. Enf —3A 10
Paisley Rd. N22 —7B 24
Palace Gdns. Enf —3D 16
Palace Gdns. Shop. Cen. Enf —3D 16
Palace Gates Rd. N22 —7H 23
Palace M. Enf —2D 16
Palace Rd. N11 —6J 23
Palace Vw. Rd. E4 —4D 26
Palmer Gdns. Barn —4F 13
*Palmer's Ct. N11 —4G 23*
*(off Palmer's Rd.)*
**Palmers Green. —3A 24**
Palmers La. Enf —7H 9
(in two parts)
Palmer's Rd. N11 —4G 23
Palmerston Cres. N13 —4K 23
Palmerston Rd. N22 —6K 23
Palmerston Rd. Buck H —1K 27
Palmers Way. Chesh —4J 3
Pamela Ct. N3 —5K 21
Pank Av. Barn —4A 14
Pantiles Clo. N13 —4B 24
Paradise Clo. Chesh —3F 3
Paradise Ho. Chesh —1E 2
Paradise Rd. Wal A —2E 10
Park Av. N3 —7K 21
Park Av. N13 —2A 24
Park Av. N18 —3G 25
Park Av. N22 —7J 23
Park Av. Enf —4D 16
Park Av. Pot B —2A 6
Park Av. Wfd G —4K 27
Park Av. Rd. N17 —6H 25
Park Clo. N20 —2B 22
Park Ct. E4 —1E 26
Park Ct. N11 —6H 23
Park Ct. N17 —6G 25
Park Cres. N3 —6K 21
Park Cres. Enf —3D 16
Parkdale. N11 —5H 23
Park Dri. N21 —5C 16
Park Ga. N21 —6K 15
Parkgate Av. Barn —7A 6
Parkgate Cres. Barn —7A 6
Park Gro. N11 —6H 23
Parkhill Rd. E4 —7E 18
Park Ho. N21 —6K 15
Parkhurst Rd. N11 —4E 22
Parkhurst Rd. N17 —7G 25
Parkhurst Rd. N22 —5K 23
Parkland Rd. Wfd G —6K 27
Parklands. Wal A —1E 10
Parklands Clo. Barn —6B 6
Park La. N9 —2E 24
Park La. N17 —6F 25
(in two parts)
Park La. Chesh —1D 2
Park La. Wal X —1J 9
Park La. Clo. N17 —6G 25
Park La. Paradise. Chesh —1E 2
Parklea Clo. NW9 —7A 20
Parkmead Gdns. NW7 —5B 20
Parkmore Clo. Wfd G —3J 27
Pk. Nook Gdns. Enf —5D 8
Park Rd. N11 —6H 23
Park Rd. N14 —7H 15
Park Rd. N18 —3G 25
Park Rd. Barn & New Bar —3B 14
Park Rd. Enf —4A 10
Park Rd. High Bar —3H 13
Park Rd. Wal X —1K 9
Parkside. N3 —7K 21
Parkside. NW7 —5C 20
Parkside. Buck H —1K 27
Parkside. Wal X —2A 10
Parkside Ct. N22 —5K 23
Parkside Gdns. E Barn —7D 14
Parkside Ter. N18 —3D 24
Parkstone Av. N18 —5F 25
Park Ter. Enf —6A 10
Park Vw. N21 —6K 15
Park Vw. Pot B —1A 6
Pk. View Ct. N12 —3C 22
Pk. View Cres. N11 —3F 23
Pk. View Gdns. N22 —7A 24
Pk. View Ho. E4 —4C 26
Parkview Ho. N9 —6H 17
Pk. View Rd. N3 —7K 21
Park Wlk. Barn —2B 14
Parkway. N14 —1J 23
Park Way. N20 —3D 22
Park Way. Enf —1A 16
Parkwood. N20 —2D 22
Parkwood Flats. N20 —2D 22
Parr Clo. N9 & N18 —3H 25
Parsonage Gdns. Enf —1C 16
Parsonage La. Enf —1C 16
Partingdale La. NW7 —4F 21
Partridge Clo. Barn —5E 12
Partridge Way. N22 —7J 23
Parvills. Wal A —1F 11
Pasfield. Wal A —1F 11
Passmore Gdns. N11 —5H 23
Pasteur Gdns. N18 —4B 24
Pastures, The. N20 —7H 13
Paternoster Clo. Wal A —1H 11
Paternoster Hill. Wal A —1H 11
Patmore Rd. Wal A —2G 11
Patrick Gro. Wal A —1D 10
*Paul Ct. N18 —3G 25*
*(off Fairfield Rd.)*
Paulin Dri. N21 —6A 16
Pauls Grn. Wal X —1A 10
Pavilion Shop. Cen., The. Wal X —1A 10
Paxton Rd. N17 —6F 25
Payzes Gdns. Wfd G —5H 27
Peabody Cotts. N17 —7E 24
Peace Clo. N14 —4F 15
Peace Clo. Chesh —4F 3
Peacock Ind. Est. N17 —6F 25
Peakes La. Chesh —2D 2
Peakes Way. Chesh —2D 2
Pear Tree Ct. E18 —7K 27
Peartree Rd. Enf —2E 16
Pear Tree Wlk. Chesh —1B 2
Peas Mead Ter. E4 —3E 26
Pedhoulas. N14 —2J 23
Peel Clo. E4 —1D 26
Peel Clo. N9 —2G 25
Peel Rd. E18 —7H 27
Peerglow Est. Enf —4J 17
Pegamoid Rd. N18 —2J 25
Pegasus Way. N11 —5F 23
Pellatt Gro. N22 —7A 24
Pellipar Clo. N13 —2A 24
Pembroke Av. Enf —6H 9
Pembroke M. N10 —7F 23
Pembroke Rd. N10 —7E 22
Pembroke Rd. N13 —2C 24
Pembury Rd. N17 —7F 25
Pendall Clo. Barn —3C 14
Penfold Rd. N9 —7K 17
Pengelly Clo. Chesh —5F 3
Pennant Ter. E17 —7B 26
Pennington Dri. N21 —4J 15
Penniston Clo. N17 —7C 24
Pennyfather La. Enf —2C 16
Penrhyn Av. E17 —7B 26
Penrhyn Cres. E17 —7C 26
Penrhyn Gro. E17 —7C 26
Penshurst Rd. N17 —6F 25
Pensilver Clo. Barn —3C 14
Penstemon Clo. N3 —5J 21
Pentavia Retail Pk. NW7 —6B 20
Pentire Rd. E17 —7F 27
Pentney Rd. E4 —7F 19
Penton Dri. Chesh —4H 3
Pentrich Av. Enf —6G 9
Pentyre Av. N18 —4D 24
Peony Ct. E4 —5G 27
Pepper All. Lou —1H 19
Pepys Cres. Barn —4E 12
Percival Ct. N17 —6F 25
Percival Ct. Chesh —5J 3
Percival Rd. Enf —3F 17
Percy Gdns. Enf —4K 17
Percy Rd. N12 —4A 22
Percy Rd. N21 —6C 16
Peregrin Rd. Wal A —2J 11
Perram Clo. Brox —1J 3
Perriors Clo. Chesh —2E 2
Perry Gdns. N9 —2D 24
Perry Mead. Enf —1B 16
Perrysfield Rd. Chesh —1J 3
Pert Clo. N10 —6F 23
Perth Rd. N22 —7B 24
Petersfield Clo. N18 —4C 24
Pettys Clo. Chesh —3H 3
Petworth Rd. N12 —4C 22
Pevensey Av. N11 —4H 23
Pevensey Av. Enf —1E 16
Peveret Clo. N11 —4F 23
Pewsey Clo. E4 —4C 26
Phipps Hatch La. Enf —6C 8
Phoenix Ct. E4 —2D 26
Pickering Gdns. N11 —5E 22
Picketts Lock La. N9 —1J 25
Picketts Lock La. Ind. Est. N9 —1A 26
Pickfords Yd. N17 —5F 25
Pick Hill. Wal A —1H 11
Pickwick M. N18 —3E 24
Pike Rd. NW7 —3A 20
Pikes Cotts. Barn —3E 12
Pilgrims Clo. N13 —3K 23
Pilgrims Ri. Barn —4C 14
Pine Clo. N14 —6G 15
Pine Clo. Chesh —3H 3
Pine Ct. N21 —4K 15
Pinecroft Cres. Barn —3G 13
Pine Gro. N20 —7H 13
Pineridge Ct. Barn —3F 13
Pine Rd. N11 —1E 22
Pines Av. Enf —4J 9
Pines, The. N14 —4G 15
Pines, The. Wfd G —2J 27
Pineview Ct. E4 —7E 18
Pinewood Ct. Enf —2B 16
Pinkham Way. N11 —6E 22
Pinnacles. Wal A —2G 11
Pintail Rd. Wfd G —6K 27
Pitfield Way. Enf —7J 9
Plantaganet Pl. Wal A —1D 10
Plantagenet Rd. Barn —3A 14
Platts Rd. Enf —7J 9
Plaza Bus. Cen. Enf —1A 18
Plevna Rd. N9 —2G 25
Plowman Clo. N18 —4D 24
Pocklington Clo. NW9 —7A 20
Poets Ga. Chesh —3C 2
Pointalls Clo. N3 —7A 22
Pole Hill Rd. E4 —6E 18
Pollard Rd. N20 —1C 22
Pollards Clo. G Oak —4A 2
Pond Clo. N12 —5C 22
**Ponders End. —4J 17**
Ponders End Ind. Est. Enf —4A 18
Popes Dri. N3 —7J 21
Poplar Gro. N11 —5E 22
Poplar Shaw. Wal A —1H 11
Poplars, The. N14 —4F 15
Poplars, The. Chesh —1C 2
Poppy Wlk. Wal X —3B 2
Porch Way. N20 —2D 22
Porlock Rd. Enf —6F 17
Portcullis Lodge Rd. Enf —2D 16
*Porters & Walters Almshouses.*
*(off Nightingale Rd.) N22 —6K 23*
Portland Dri. Chesh —6E 2
Portland Dri. Enf —6E 8
Portree Clo. N22 —6K 23
Postern Grn. Enf —1A 16
Potteries, The. Barn —4J 13
POTTERS BAR COMMUNITY HOSPITAL. —2A 6
*Potters Fld. Enf —3E 16*
*(off Lincoln Rd.)*
Potters La. Barn —3J 13
(in two parts)
Potter's Rd. Barn —3K 13
Powdermill La. Wal A —1D 10
*Powdermill M. Wal A —1D 10*
*(off Powdermill La.)*
Power Dri. Enf —4B 10
Powis Ct. Pot B —2A 6
Powys Ct. N11 —4J 23
Powys Ct. Borwd —2A 12
Powys La. N14 & N13 —3J 23
Poynings Way. N12 —4J 21
Poynter Rd. Enf —4F 17
Poynton Rd. N17 —7G 25
Premier Ct. Enf —6K 9

Prescott Rd. Chesh —2J 3
Preston Av. E4 —5F 27
Preston Ct. New Bar —3A 14
Preston Gdns. Enf —5A 10
Pretoria Clo. N17 —6F 25
Pretoria Cres. E4 —7E 18
Pretoria Rd. E4 —7E 18
Pretoria Rd. N17 —6F 25
Pretoria Rd. N. N18 —5F 25
Prevost Rd. N11 —1E 22
Price Clo. NW7 —5G 21
Pricklers Hill. Barn —5K 13
Primrose Av. Enf —7D 8
Primrose Path. Chesh —6E 2
Primrose Rd. E18 —7K 27
Prince George Av. N14 —4G 15
Prince of Wales Footpath. Enf —6K 9
Princes Av. N3 —7J 21
Princes Av. N13 —4A 24
Princes Av. N22 —7H 23
Princes Av. Enf —4A 10
Princes Av. Wfd G —3K 27
Princesfield Rd. Wal A —1K 11
Princes Pde. Pot B —1K 5
Princes Rd. N18 —3J 25
Princes Rd. Buck H —1K 27
Princessa Ct. Enf —4D 16
Princess Pk. Mnr. N11 —4E 22
Princes St. N17 —5E 24
Priors Cft. E17 —7B 26
Priors Mead. Enf —7E 8
Priory Av. E4 —2B 26
Priory Clo. E4 —2B 26
Priory Clo. E18 —7J 27
Priory Clo. N3 —7H 21
Priory Clo. N14 —4F 15
Priory Clo. N20 —6H 13
Priory Ct. E17 —7B 26
Priory Ga. Chesh —2K 3
Priory Gro. Barn —4J 13
*Priory Vs. N11 —5D 22*
*(off Colney Hatch La.)*
Pritchett Clo. Enf —5C 10
Private Rd. Enf —4D 16
Progress Cen., The. N9 —2E 24
Progress Cen., The. Enf —2K 17
Progress Way. N22 —7A 24
Progress Way. Enf —4G 17
Prospect Pl. N17 —6E 24
Prospect Rd. Barn —3J 13
Prospect Rd. Chesh —4G 3
Pruden Clo. N14 —1G 23
Puller Rd. Barn —1G 13
Purley Rd. N9 —2E 24
Pursley Rd. NW7 —6D 20
Putney Rd. Enf —4K 9
Pycroft Way. N9 —3F 25
Pyecombe Corner. N12 —3H 21
Pym Clo. E Barn —4B 14
Pymmes Brook Ho. N10 —6E 22
Pymmes Clo. N13 —4K 23
Pymmes Clo. N17 —7H 25
Pymmes Gdns. N. N9 —2F 25
Pymmes Gdns. S. N9 —2F 25
Pymmes Grn. Rd. N11 —3F 23
Pymmes Rd. N13 —5J 23
Pymms Brook Dri. Barn —3C 14
Pynest Grn. La. Wal A —6J 11

**Q**uaker La. Wal A —2E 10
Quakers Course. NW9 —7B 20
Quakers Wlk. N21 —5D 16
Quatre Ports. E4 —4F 27
Queen Anne's Gdns. Enf —5E 16
Queen Anne's Gro. Enf —6D 16
Queen Anne's Pl. Enf —5E 16
Queen Elizabeth Ct. High Bar —2H 13
Queen Elizabeth Ct. Turn —1K 3
Queen Elizabeth's Dri. N14 —7J 15
Queengate Ct. N12 —4K 21
Queens Av. N3 —6A 22
Queens Av. N20 —1B 22
Queens Av. N21 —7B 16
Queen's Av. Wfd G —4K 27
Queen's Dri. Wal X —2C 10
Queensgate. Wal X —2B 10
Queens Gro. Rd. E4 —7F 19
Queensland Av. N18 —5C 24
*Queen's Pde. N11 —4D 22*
*(off Friern Barnet Rd.)*
Queens Pde. Clo. N11 —4D 22
Queens Rd. N3 —7A 22
Queens Rd. N9 —1H 25
Queens Rd. N11 —6J 23
Queens Rd. Barn —2F 13
Queen's Rd. Buck H —1K 27
Queen's Rd. Enf —3E 16
Queen's Rd. Wal X —1A 10
Queen St. N17 —5E 24
Queens Wlk. E4 —7F 19
Queensway. Enf —3H 17
Queens Way. Wal X —2B 10
Queensway Bus. Cen. Enf —3H 17
Queensway Ind. Est. Enf —3J 17
Queenswell Av. N20 —2C 22
Queenswood Av. E17 —7E 26
Queenswood Pk. N3 —7G 21
Quendon Dri. Wal A —1F 11
Quinta Dri. Barn —4D 12
Quinton Way. Wal A —3E 10

**R**adcliffe Av. Enf —7C 8
Radcliffe Rd. N21 —7B 16
Radley Rd. N17 —7E 24
Radnor Gdns. Enf —7E 8
Radstock Clo. N11 —5E 22
Raebarn Gdns. Barn —4D 12
RAF Museum Hendon. —7C 20
Raglan Av. Wal X —2K 9
Raglan Rd. Enf —6F 17
Rags La. Chesh —3C 2
Railway Rd. Wal X —1B 10
Railway Ter. E17 —7E 26
Rainer Clo. Chesh —4H 3
Raith Av. N14 —2H 23
Raleigh Dri. N20 —2C 22
Raleigh Rd. N2 —7C 22
Raleigh Rd. Enf —3D 16
Raleigh Way. N14 —7H 15
Ramillies Rd. NW7 —1A 20
Ramney Dri. Enf —4A 10
Rampton Clo. E4 —2C 26
Ramscroft Clo. N9 —6E 16
Ramsden Rd. N11 —4D 22
Ramsey Way. N14 —6G 15
Randall Ct. NW7 —6C 20
Ranelagh Rd. N22 —7K 23
Ranger's Rd. E4 & Lou —6G 19
Ranworth Rd. N9 —1J 25
Rasper Rd. N20 —1A 22
Rathgar Clo. N3 —7H 21
Rats La. Lou —6K 11
Raven Rd. E18 —7K 27
Ravens Clo. Enf —1E 16
Ravenscourt Pk. Barn —3F 13
Ravenscraig Rd. N11 —3G 23
Ravenscroft Cotts. Barn —3J 13
Ravenscroft Pk. Barn —2F 13
Ravensdale Av. N12 —3A 22
Ravenside Clo. N18 —4K 25
Ravenside Retail Pk. N18 —4K 25
Raydean Rd. New Bar —4K 13
Raydon Rd. Chesh —7H 3
Rayleigh Clo. N13 —2D 24
Rayleigh Ct. N22 —7C 24
Rayleigh Rd. N13 —2C 24
Rayleigh Rd. Wfd G —5K 27
Raymond Ct. N10 —6F 23
Raymond Ct. Pot B —2A 6
Raynham Av. N18 —5G 25
Raynham Rd. N18 —4G 25
Raynham Ter. N18 —4G 25
Raynton Rd. Enf —5K 9
Rays Av. N18 —3J 25
Rays Rd. N18 —3J 25
Read Ct. Wal A —1J 11
Reading Way. NW7 —4F 21
Reardon Ct. N21 —1B 24
Rectory Clo. E4 —2C 26
Rectory Clo. N3 —7H 21
Rectory Ct. E18 —7H 27
Rectory Farm Rd. Enf —6K 7
Reculver M. N18 —3G 25
Redbourne Av. N3 —7J 21
Redburn Trad. Est. Enf —5K 17
Reddings Clo. NW7 —3B 20
Reddings, The. NW7 —2B 20
REDFORD LODGE
PSYCHIATRIC HOSPITAL. —1G 25
Redlands Rd. Enf —7A 10
Redrose Trad. Cen. Barn —4B 14
Redruth Clo. N22 —6K 23
Redvers Rd. N22 —7A 24
Redwood Clo. N14 —6H 15
Redwood Clo. Buck H —1K 27
Redwood Gdns. E4 —5D 18
Redwood Way. Barn —4F 13
Regal Ct. N18 —4F 25
Regal Dri. N11 —4F 23
Regan Ho. N18 —5F 25
Regency Ct. Enf —4D 16
Regent Clo. N12 —4A 22
Regent Ct. N3 —6K 21
Regent Ct. N20 —1A 22
Regent Ga. Wal X —2K 9
Regents Av. N13 —4A 24
Regents Pk. Rd. N3 —7H 21
Regina Clo. Barn —2F 13
Rendlesham Rd. Enf —7B 8
Renfrew Ho. E17 —7B 26
Rennison Clo. Chesh —2D 2
Reservoir Rd. N14 —4G 15
Reservoir Rd. Lou —7K 11
Retingham Way. E4 —1D 26
Reynardson Rd. N17 —6C 24
Rheola Clo. N17 —7F 25
Rhodes Av. N22 —7G 23
Rhys Av. N11 —6H 23
Ribblesdale Av. N11 —5E 22
*Riccall Ct. NW9 —7A 20*
*(off Pageant Av.)*
Richardson Cres. Chesh —1A 2
Richmond Av. E4 —4F 27
Richmond Clo. Borwd —4A 12
Richmond Clo. Chesh —4G 3
Richmond Cres. E4 —4F 27
Richmond Cres. N9 —7G 17
Richmond Rd. E4 —7F 19
Richmond Rd. N11 —5J 23
Richmond Rd. New Bar —4K 13
Ride, The. Enf —2J 17
**Ridge. —2A 4**
Ridge Av. N21 —6C 16
Ridge Crest. Enf —7K 7
Ridgemount Gdns. Enf —2B 16
Ridge Rd. N21 —7C 16
Ridge, The. Barn —4H 13
Ridgeview Clo. Barn —5F 13
Ridgeview Rd. N20 —2K 21
Ridgeway Av. Barn —5D 14
Ridgeway, The. E4 —1D 26
Ridgeway, The. N3 —6K 21
Ridgeway, The. N11 —3D 22
Ridgeway, The. N14 —1J 23
Ridgeway, The. NW7 —2C 20
Ridgeway, The. Pot B & Enf —2B 6
Ridings Av. N21 —3B 16
Ridings, The. Barn —6B 14
Ridler Rd. Enf —6E 8
Rigby Pl. Enf —5C 10
Riley Rd. Enf —6J 9
Ringlewell Clo. Enf —1H 17
Ringmer Pl. N21 —4D 16
Ringslade Rd. N22 —7K 23
Ring Way. N11 —5G 23
Ringwood Way. N21 —7B 16
Ripley Rd. Enf —7C 8
Ripley Way. Chesh —5F 3
Ripon Rd. N9 —6H 17
Ripon Way. Borwd —4A 12
Rise, The. N13 —3A 24
Rise, The. NW7 —5B 20
Risley Av. N17 —7C 24
River Av. N13 —2B 24
River Av. Ind. Est. N13 —4A 24
River Bank. N21 —6C 16
River Clo. Wal X —2C 10
Riverdale Ct. N21 —4D 16
River Front. Enf —2E 16
Riverhead Clo. E17 —7K 25
Riverleigh Ct. E4 —4B 26
River Pk. Rd. N22 —7K 23
Riversfield Rd. Enf —2E 16
Riverside Apartments. N13 —4K 23
Riverside Ct. E4 —5C 18
Riverside Gdns. Enf —1C 16
Riverside Ind. Est. Enf —5A 18
Riverside Path. Chesh —4G 3
Riverside Pl. N11 —2G 23
Riverside Wlk. N12 & N20 —2K 21
Riverside Wlk. Barn —5F 13
(in two parts)
River Vw. Enf —2C 16
*River Vw. Wal A —1D 10*
*(off Powdermill La.)*
Riverway. N13 —4A 24
Rivington Cres. NW7 —6B 20
Rivulet Rd. N17 —6C 24
Robert Clo. Pot B —1G 5
*Robert Owen Ho. N22 —7A 24*
*(off Progress Way)*
Roberts Clo. Chesh —5J 3
Robertson Clo. Brox —1J 3
Roberts Rd. E17 —7D 26
Roberts Rd. NW7 —5G 21
Robin Clo. NW7 —2A 20
Robinson Av. G Oak —3A 2
Robins Way. Wal A —2G 11
Robson Clo. Enf —1B 16
Robsons Clo. Chesh —4G 3
Rochester Clo. Enf —7E 8
Rochford Av. Wal A —2F 11
Rochford Clo. Brox —1J 3
Rockways. Barn —5B 12
*Rodings Row. Barn —3G 13*
*(off Leecroft Rd.)*
Rodmell Slope. N12 —4H 21
Rodney Ct. Barn —2H 13
Rodney Pl. E17 —7A 26
Roe. NW9 —6B 20
Roebuck La. N17 —5F 25
Roebuck La. Buck H —6K 19
Roedean Av. Enf —7J 9
Roedean Clo. Enf —7J 9
Rogers Wlk. N12 —2K 21
Rokeby Gdns. Wfd G —7J 27
Rolfe Clo. Barn —3C 14
Rolls Pk. Av. E4 —4C 26
Rolls Pk. Rd. E4 —4D 26
Rolvenden Pl. N17 —7G 25
Roman Rd. N10 —6F 23
Roman Way. Enf —4F 17
Romany Gdns. E17 —7A 26
Romeland. Wal A —1E 10
Romney Clo. N17 —7H 25
Ronald Ct. New Bar —2K 13
Rookby Ct. N21 —1B 24
Rookwood Gdns. E4 —1H 27
Ropers Av. E4 —4D 26
Rosebank. Wal A —1G 11
Rose Bank Clo. N12 —4C 22
Rosebery Av. N17 —7G 25
Rosebery Ind. Est. N17 —7H 25
Rosebery Ind. Pk. N17 —7H 25
Rosebery M. N10 —7G 23
Rosebery Rd. N9 —2G 25
Rosebery Rd. N10 —7G 23
Rose Ct. Chesh —2E 2
Rosecroft. N14 —1H 23
**Rosedale. —3F 3**
Rosedale Av. Chesh —4D 2
Rosedale Way. Chesh & Wal X —2E 2
Roseland Clo. N17 —6D 24
Rosemary Av. N3 —7K 21
Rosemary Av. N9 —7H 17
Rosemary Av. Enf —7E 8
Rosemont Av. N12 —5A 22
Roseneath Av. N21 —7B 16
Roseneath Wlk. Enf —3E 16
Roses, The. Wfd G —6H 27
Rosewood Dri. Enf —3A 8
Ross Av. NW7 —4G 21
Rossdale Dri. N9 —5J 17
Rossington Clo. Enf —6H 9
Rossiter Fields. Barn —5H 13
Rosslyn Av. E4 —1H 27
Rosslyn Av. E Barn —5C 14
Roswell Clo. Chesh —5J 3
Rothbury Wlk. N17 —6G 25
Rotherfield Rd. Enf —5K 9
Roundcroft. Chesh —1D 2
Roundhedge Way. Enf —6K 7
Roundhill Dri. Enf —3K 15
Roundhills. Wal A —2G 11
Roundmoor Dri. Chesh —4J 3
Roundway, The. N17 —7C 24
Rounton Rd. Wal A —1G 11
Rowan Av. E4 —5B 26
Rowans, The. N13 —2B 24
Rowantree Clo. N21 —7D 16
Rowantree Rd. N21 —7D 16
Rowantree Rd. Enf —1B 16
Rowan Wlk. Barn —4K 13
Rowben Clo. N20 —7K 13
*Rowden Pk. Gdns. E4 —6C 26*
*(off Chingford Rd.)*
Rowden Rd. E4 —5D 26
Rowland Hill Av. N17 —6C 24
Rowlands Clo. NW7 —6C 20
Rowlands Clo. Chesh —5H 3

*Rowley Ct. Enf —4E 16*
*(off Wellington Rd.)*
Rowley Gdns. Chesh —3H 3
**Rowley Green. —3B 12**
Rowley Grn. Rd. Barn —4B 12
Rowley La. Barn —3A 12
Rowley La. Borwd —7A 4
Royal Av. Wal X —1A 10
Royal Ct. Enf —5E 16
Royal Dri. N11 —4E 22
Royal Epping Forest & Chingford (Public) Golf Course. —5F 19
Royal Gunpowder Mills Vis. Cen. —1D 10
Roycroft Clo. E18 —7K 27
Royston Av. E4 —4C 26
Royston Ho. N11 —3D 22
Ruberoid Rd. Enf —2B 18
Rubin Pl. Enf —5C 10
Ruddy Way. NW7 —5B 20
Rue de St Lawrence. Wal A —2E 10
*Rufforth Ct. NW9 —7A 20*
*(off Pageant Av.)*
Rugby Av. N9 —7F 17
Rumsley. Wal X —2E 2
Rushbrook Cres. E17 —7B 26
Rushcroft Rd. E4 —6D 26
Rushdene Av. Barn —6C 14
Rushden Gdns. NW7 —5E 20
Rush Dri. Wal A —4E 10
Rushey Hill. Enf —3K 15
Rushfield. Pot B —1F 5
Rushleigh Av. Chesh —6H 3
Rushton Ct. Chesh —4H 3
Ruskin Av. Wal A —2G 11
Ruskin Clo. Chesh —1C 2
Ruskin Ct. N21 —6K 15
Ruskin Rd. N17 —7F 25
Ruskin Wlk. N9 —1G 25
Russell Av. N22 —7B 24
Russell Ct. N14 —5H 15
Russell Ct. New Bar —3A 14
Russell Gdns. N20 —1C 22
Russell Gro. NW7 —4A 20
Russell La. N20 —1C 22
Russell Lodge. E4 —1E 26
Russell Rd. E4 —3B 26
Russell Rd. N13 —5K 23
Russell Rd. N20 —1C 22
Russell Rd. Buck H —7K 19
Russell Rd. Enf —6F 9
Russell's Ride. Chesh —6J 3
Russet Clo. Chesh —1C 2
Russets Clo. E4 —3F 27
Ruston Gdns. N14 —5E 14
Ruthven Av. Wal X —1K 9
Rutland Ct. Enf —4H 17
Ryalls Ct. N20 —2D 22
Rydal Clo. NW4 —7F 21
Rydal Mt. Pot B —1G 5
Rydal Way. Enf —5J 17
Ryecroft Cres. Barn —4D 12
Rye, The. N14 —6H 15
Ryhope Rd. N11 —3F 23
Rylston Rd. N13 —2D 24

**S**addlers Clo. Ark —4D 12
Saddlescombe Way. N12 —4J 21
Sadler Clo. Chesh —1A 2
**Saffron Green. —7C 4**
*Saimel. NW9 —6B 20*
*(off Satchell Mead)*
St Alban's Cres. N22 —7A 24
St Alban's Cres. Wfd G —6J 27
St Albans Rd. Barn —3D 4
St Albans Rd. S Mim —1C 4
St Alban's Rd. Wfd G —6J 27
St Alban Tower. E4 —5B 26
St Alphege Rd. N9 —6J 17
St Andrew's Clo. N12 —3A 22
St Andrew's Rd. N9 —6J 17
St Andrew's Rd. Enf —2D 16
St Anna Rd. Barn —4F 13
St Anne's Clo. Chesh —3E 2
St Ann's Rd. N9 —1F 25
St Anthony's Av. Wfd G —5K 27
St Barnabas Rd. Wfd G —7K 27
St Catherine's Rd. E4 —1C 26
St Edmund's Rd. N9 —6G 17
St Egberts Way. E4 —7E 18
St Fabian Tower. E4 —5B 26
St Faith's Clo. Enf —7C 8
St Francis Clo. Pot B —2A 6
*St Francis Tower. E4 —5B 26*
*(off Burnside Av.)*
St Georges Ind. Est. N17 —6B 24
St George's Rd. N9 —2G 25
St George's Rd. N13 —2K 23
St George's Rd. Enf —6F 9
St Giles Av. S Mim —1D 4
St Giles Ct. Enf —3J 9
St Giles Ho. New Bar —3A 14
St James Av. N20 —2C 22
St James Clo. N20 —2C 22
St James Clo. Barn —3B 14
St James Ga. Buck H —7K 19
St James' Rd. N9 —1H 25
St James Rd. Chesh & G Oak —3A 2
*St James's Ct. N18 —5F 25*
*(off Fore St.)*
St Joan's Rd. N9 —1F 25
St John's Av. N11 —4D 22
St Johns Cvn. Pk. Enf —5B 8
St Johns Clo. N14 —5G 15
*St John's Clo. N20 —2A 22*
*(off Rasper Rd.)*
St John's Clo. Pot B —1A 6
St John's Ct. Buck H —7K 19
St John's Rd. E4 —3D 26
St John's Rd. E17 —7D 26
St John's Ter. Enf —5D 8
*St John's Vs. N11 —4D 22*
*(off Friern Barnet Rd.)*
St John's Yd. N17 —6F 25
St Joseph's Ct. E4 —6F 19
St Joseph's Rd. N9 —6H 17
St Joseph's Rd. Wal X —1A 10
St Leonard's Av. E4 —5F 27
St Luke's Av. Enf —6D 8
St Malo Av. N9 —2J 25
St Margaret's Av. N20 —7A 14
St Margaret's Ct. N11 —3E 22
St Mark's Clo. New Bar —2K 13
St Marks Rd. Enf —5F 17
St Martin's Clo. Enf —7H 9
St Martin's Rd. N9 —1H 25
St Mary's Av. N3 —7G 21
St Mary's Clo. N17 —7F 25
St Mary's Ct. Pot B —1K 5
St Mary's Rd. N9 —7H 17
St Mary's Rd. Barn —6D 14
St Mary's Rd. Chesh —4G 3
St Michael's Av. N9 —6J 17
St Michael's Clo. N12 —4C 22
St Michael's Ter. N22 —7J 23
St Mirren Ct. New Bar —4A 14
St Nicholas Houses. Ridg —3E 6
St Ninian's Ct. N20 —2D 22
*St Onge Pde. Enf —2D 16*
*(off Southbury Rd.)*
St Pancras Ct. N2 —7B 22
St Patrick's Ct. E4 —6G 27
St Paul's Ri. N13 —5B 24
St Paul's Rd. N17 —6G 25
St Paul's Way. N3 —6K 21
St Pauls Way. Wal A —1F 11
St Peters Av. N2 —6C 22
St Peter's Av. N18 —3G 25
St Peter's Clo. Barn —4D 12
St Peter's Rd. N9 —7H 17
St Philips Av. N2 —6C 22
St Regis Clo. N10 —7F 23
St Ronan's Clo. Barn —6B 6
St Ronan's Cres. Wfd G —6J 27
*St Saviour's Ct. N10 —7F 23*
*(off Alexandra Pk. Rd.)*
*St Stephen's Ct. Enf —5E 16*
*(off Park Av.)*
St Stephen's Rd. Barn —4F 13
St Stephens Rd. Enf —5K 9
St Theresa Ct. E4 —6F 19
St Thomas Rd. N14 —6H 15
St Thomas's Clo. Wal A —1K 11
St Vincents Way. Pot B —2A 6
St Wilfrid's Clo. Barn —4C 14
St Wilfrid's Rd. New Bar —4C 14
Salcombe Gdns. NW7 —5E 20
Salisbury Clo. Pot B —1A 6
*Salisbury Ct. Enf —3D 16*
*(off London Rd.)*
Salisbury Cres. Chesh —7H 3
Salisbury Hall Gdns. E4 —5C 26
Salisbury Rd. E4 —2C 26
Salisbury Rd. N9 —2G 25
Salisbury Rd. N22 —7B 24
Salisbury Rd. Barn —2G 13
Salisbury Rd. Enf —5B 10
Salix Ct. N3 —5J 21
Salmons Rd. N9 —7G 17
Salway Clo. Wfd G —6J 27
Sampson Av. Barn —4F 13
Samsbrooke Ct. Enf —5E 16
Sandal Rd. N18 —4G 25
Sandbrook Clo. NW7 —5A 20
Sandcroft Clo. N13 —5B 24
Sanders La. NW7 —6E 20
(in three parts)
Sandford Av. N22 —7C 24
Sandford Ct. New Bar —2K 13
Sandhurst Rd. N9 —5J 17
Sandon Rd. Chesh —5G 3
Sandpiper Clo. E17 —6K 25
Sandra Clo. N22 —7C 24
Sandringham Clo. Enf —1E 16
Sandringham Gdns. N12 —5B 22
Sandringham Way. Wal X —2J 9
Sandwick Clo. NW7 —6C 20
Santers La. Pot B —1G 5
Saracens Rugby Football Club. —5F 15
Sark Ho. Enf —6K 9
*Sarnes Ct. N11 —3F 23*
*(off Oakleigh Rd. S.)*
Sarnesfield Rd. Enf —3D 16
Sassoon. NW9 —7B 20
Satchell Mead. NW9 —7B 20
Saunders Clo. Chesh —3H 3
Savernake Rd. N9 —5G 17
Savill Clo. Chesh —1A 2
Saville Row. Enf —1K 17
Savill Row. Wfd G —5H 27
Savoy Pde. Enf —2E 16
Sawyer Clo. N9 —1G 25
Sawyers La. S Mim —1F 5
Saxlingham Rd. E4 —2F 27
Saxon Rd. N22 —7B 24
Saxon Way. N14 —5H 15
Saxon Way. Wal A —1E 10
Sayesbury La. N18 —4G 25
Scarborough Rd. N9 —6J 17
Sceynes Link. N12 —3J 21
Scholars Rd. E4 —7F 19
School Way. N12 —5B 22
Scoter Clo. Wfd G —6K 27
Scotland Grn. N17 —7F 25
Scotland Grn. Rd. Enf —4K 17
Scotland Grn. Rd. N. Enf —3K 17
Scotswood Wlk. N17 —6G 25
Scout Way. NW7 —3A 20
Seafield Rd. N11 —3H 23
Seaford Rd. Enf —3E 16
Seaforth Dri. Wal X —2K 9
Seaforth Gdns. N21 —6K 15
Seaton St. N18 —4G 25
Sebastopol Rd. N9 —3G 25
Sebergham Gro. NW7 —6C 20
Sebright Rd. Barn —1F 13
Second Av. N18 —3J 25
Second Av. Enf —4F 17
Sedcote Rd. Enf —4J 17
Sedge Rd. N17 —6J 25
Sedley Clo. Enf —6H 9
Sefton Ct. Enf —1B 16
(in two parts)
Selborne Rd. N14 —2J 23
Selbourne Rd. N22 —7K 23
Selby Rd. N17 —6E 24
Selhurst Rd. N9 —2D 24
Sell Clo. Chesh —1A 2
Sellers Hall Clo. N3 —6J 21
Selvage La. NW7 —3A 20
Selwood Dri. Barn —4F 13
Selwyn Av. E4 —5E 26
Sennen Rd. Enf —6F 17
Septimus Pl. Enf —4G 17
Severn Dri. Enf —6G 9
**Sewardstone. —7E 10**
**Sewardstonebury. —4G 19**
Sewardstone Gdns. E4 —4D 18
Sewardstone Rd. E4 —6D 18
Sewardstone Rd. E4 & Wal A —2E 10
Sewardstone St. Wal A —2E 10
Sexton Clo. Chesh —1A 2
Seymour Av. N17 —7G 25
Seymour Ct. E4 —1H 27
Seymour Ct. N10 —7E 22
Seymour Ct. N21 —5K 15
Seymour Rd. E4 —7D 18
Seymour Rd. N3 —6K 21
Seymour Rd. N9 —1H 25
Shaftesbury Av. Enf —1K 17
Shaftesbury Av. New Bar —3A 14
Shaftesbury Rd. E4 —7F 19
Shaftesbury Rd. N18 —5E 24
Shakespeare Av. N11 —4G 23
Shakespeare Ct. New Bar —2K 13
Shakespeare Ho. N14 —1H 23
Shakespeare Rd. N3 —7J 21
Shakespeare Rd. NW7 —3B 20
Shalcross Dri. Chesh —5K 3
Shambrook Rd. Chesh —1A 2
Shamrock Way. N14 —7F 15
Shanklin Clo. Chesh —4D 2
Shanklin Ho. E17 —7B 26
Shapland Way. N13 —4K 23
Shapwick Clo. N11 —4D 22
Sharon Rd. Enf —1A 18
Shaw Clo. Chesh —3G 3
Shaw Rd. Enf —7K 9
Shaw Sq. E17 —7A 26
Shelbourne Rd. N17 —7H 25
Sheldon Clo. Chesh —1C 2
Sheldon Ct. Barn —3K 13
Sheldon Rd. N18 —3E 24
Shelford Rd. Barn —5E 12
Shellduck Clo. NW9 —7A 20
*Shelley Ct. Wal A —1H 11*
*(off Ninefields)*
Shenfield Rd. Wfd G —6K 27
Shepley M. Enf —5C 10
Sheppard Clo. Enf —7H 9
Sherborne Av. Enf —1J 17
Sherbrook Gdns. N21 —6B 16
Sheredan Rd. E4 —4F 27
Sheringham Av. N14 —4H 15
Sheringham Ct. Enf —2B 16
Shernbroke Rd. Wal A —2H 11
Sherrards Way. Barn —4J 13
Sherringham Av. N17 —7G 25
Sherwood Av. Pot B —1G 5
Sherwood St. N20 —2B 22
Sherwood Ter. N20 —2B 22
Shillitoe Av. Pot B —1F 5
Shingle Ct. Wal A —1J 11
Shire Clo. Brox —1K 3
Shirley Clo. Chesh —4G 3
Shirley Gro. N9 —6J 17
Shirley Rd. Enf —2C 16
Shobden Rd. N17 —7D 24
Shooters Rd. Enf —7B 8
Short Ga. N12 —3H 21
Shortlands Clo. N18 —2D 24
Shortmead Dri. Chesh —6J 3
Short Way. N12 —5C 22
Shrewsbury Rd. N11 —5G 23
Shropshire Rd. N22 —6K 23
Shrubberies, The. E18 —7J 27
Shrubbery Gdns. N21 —6B 16
Shrubbery Rd. N9 —2G 25
Shrubland Clo. N20 —7B 14
Shrublands, The. Pot B —1G 5
Shurland Av. Barn —5B 14
Sicklefield Clo. Chesh —1D 2
Siddons Rd. N17 —7G 25
Sidney Av. N22 —4K 23
Sidney Rd. N22 —6K 23
Silver Birch Av. E4 —4B 26
Silverbirch Clo. N11 —5E 22
Silver Chase Ct. Enf —6B 8
Silvercliffe Gdns. Barn —3C 14
Silverdale. Enf —3J 15
Silverdale Rd. E4 —5F 27
Silvermead. E18 —7J 27
Silver St. N18 —3D 24
Silver St. Enf —2D 16
Silver St. G Oak —5A 2
Silver St. Wal A —2E 10
Silverthorn Gdns. E4 —1C 26
Simmons Clo. N20 —1C 22
Simmons La. E4 —1F 27
Simmons Way. N20 —1C 22
Simon Peter Ct. Enf —1B 16
Simpson Clo. N21 —4J 15
Sinclair Rd. E4 —4B 26
Sinclare Clo. Enf —7F 9
Singleton Scarp. N12 —4J 21
Sinnott Rd. E17 —7K 25
Sittingbourne Av. Enf —5D 16
Siward Rd. N17 —7D 24
Skarnings Ct. Wal A —1J 11
Sketty Rd. Enf —2F 17

Skipton Clo. N11—5E 22
Sky Peals Rd. Wfd G—6F 27
Slade Ct. New Bar—2K 13
Slades Clo. Enf—2A 16
Slades Gdns. Enf—1A 16
Slades Hill. Enf—2A 16
Slades Ri. Enf—2A 16
Slatter. NW9—6B 20
Smarts Grn. Chesh—1D 2
Smart's Pl. N18—4G 25
Smeaton Clo. Wal A—1G 11
Smeaton Rd. Enf—5C 10
Smiths La. Chesh—1B 2
Smithson Rd. N17—7D 24
Snakes La. Barn—2F 15
Snakes La. E. Wfd G—5K 27
Snakes La. W. Wfd G—4J 27
Snells Pk. N18—5F 25
Soham Rd. Enf—5B 10
Solar Ct. N3—6K 21
Solar Way. Enf—4B 10
Solna Rd. N21—7D 16
Soloman Av. N18—3G 25
Solway Rd. N22—7B 24
Somaford Gro. Barn—5B 14
Somercoates Clo. Barn—2C 14
Somerford Gro. N17—6G 25
(in two parts)
Somerset Clo. N17—7D 24
Somerset Clo. Wfd G—7J 27
Somerset Ct. Buck H—1K 27
Somerset Gdns. N17—6E 24
Somerset Hall. N17—6E 24
Somerset Rd. N18—4F 25
Somerset Rd. Enf—6C 10
Somerset Rd. New Bar—4K 13
Sonia Gdns. N12—3A 22
Soper Clo. E4—4B 26
Soper M. Enf—6C 10
Sopwith. NW9—6B 20
South Av. E4—6D 18
**South Barnet. —7E 14**
Southbrook Dri. Chesh—3H 3
Southbury Av. Enf—3G 17
Southbury Rd. Enf—2E 16
**South Chingford. —4B 26**
South Clo. Barn—2H 13
South Dene. NW7—2A 20
Southdene Ct. N11—2F 23
S. Eastern Av. N9—2F 25
Southend La. Wal A—2K 11
Southend Rd. E4 & E17—4A 26
Southend Rd. E18 & Wfd G—7J 27
Southfield. Barn—5F 13
Southfield Rd. Enf—5H 17
Southfield Rd. Wal X—7J 3
**Southgate. —7H 15**
Southgate Cir. N14—7H 15
Southgate Ho. Chesh—5H 3
Southgate Ind. Est. N14—6H 15
Southgate Rd. Pot B—1A 6
South Grn. NW9—7A 20
South Herts Golf Course. —6J 13
S. Lodge Cres. Enf—3H 15
(in two parts)
S. Lodge Dri. N14—3H 15
*South Mall. N9—2G 25*
*(off Plevna Rd.)*
South Mead. NW9—7B 20
Southmead Cres. Chesh—5J 3
**South Mimms. —1C 4**
*South Mt. N20—1A 22*
*(off High Rd.)*
S. Ordnance Rd. Enf—6C 10
Southover. N12—2J 21
South Pde. Wal A—1E 10
South Pl. Enf—4J 17
South Rd. N9—7G 17
South St. Enf—4J 17
Southview Clo. Chesh—1C 2
South Way. N9—1J 25
South Way. N11—5G 23
Southway. N20—1J 21
S. Weald Dri. Wal A—1F 11
Sovereign Bus. Cen. Enf—2B 18
Sparkford Gdns. N11—4E 22
Speedwell Ho. N12—3K 21
Spencer Av. N13—5K 23
Spencer Av. Chesh—1C 2
Spencer Clo. N3—7J 21
Spencer Rd. E17—7E 26
Spencer Rd. N11—3F 23
Spencer Rd. N17—7G 25
Speyside. N14—5G 15
Spicer Ct. Enf—2E 16
Spicersfield. Chesh—2E 2
Spigurnell Rd. N17—7D 24
Spilsby Clo. NW9—7A 20
Spinney, The. N21—6A 16
Spinney, The. Barn—1K 13
Spinney, The. Chesh—5F 3
Spires Shop. Cen., The. Barn—2G 13
Spottons Gro. N17—7C 24
Spring Bank. N21—5K 15
Spring Clo. Barn—4F 13
Spring Ct. Rd. Enf—6A 8
Springfield Clo. N12—4K 21
Springfield Pde. M. N13—3A 24
Springfield Rd. E4—7G 19
Springfield Rd. N11—4F 23
Springfield Rd. Chesh—7J 3
*Springfields. New Bar—4K 13*
*(off Somerset Rd.)*
Springfields. Wal A—2G 11
Spring Gdns. Wfd G—6K 27
Springwood. Chesh—1E 2
Spur, The. Chesh—3H 3
Square, The. Wfd G—4J 27
Squires La. N3—7K 21
Squirrels Clo. N12—3A 22
Stable Wlk. N2—7B 22
Stacey Av. N18—3J 25
Stafford Clo. N14—4G 15
Stafford Clo. Chesh—4F 3
Stagg Hill. Barn—5C 6
Stag La. Buck H—1K 27
Stains Clo. Chesh—3J 3
Stainton Rd. Enf—7J 9
Stamford Clo. Pot B—1B 6
Stanbridge Pl. N21—1B 24
Standard Rd. Enf—6A 10
Stanford Ct. Wal A—1J 11
Stanford Rd. N11—4D 22
Stangate Cres. Borwd—4A 12
Stangate Lodge. N21—6K 15
Stanhope Gdns. NW7—4B 20
*Stanhope Ho. N11—3F 23*
*(off Coppies Gro.)*
Stanhope Rd. N12—4A 22
Stanhope Rd. Barn—5E 12
Stanhope Rd. Wal X—1A 10
Stanley Gro. N17—6F 25
Stanley Rd. E4—7F 19
Stanley Rd. E18—7H 27
Stanley Rd. N9—7F 17
Stanley Rd. N10—6F 23
Stanley Rd. N11—5H 23
Stanley Rd. Enf—2E 16
Stanway Rd. Wal A—1J 11
Stapleford Clo. E4—2E 26
Stapylton Rd. Barn—2G 13
Starling Clo. Buck H—7J 19
Statham Gro. N18—4E 24
Station App. E4—5F 27
Station App. N11—4F 23
Station App. N12—3K 21
Station App. High Bar & New Bar—3A 14
Station App. Wal X—2A 10
Station Clo. N3—7J 21
Station Clo. N12—3K 21
Station Ho. M. N9—3G 25
Station Pde. N14—7H 15
Station Pde. Barn—3E 14
Station Rd. E4—7F 19
Station Rd. N3—7J 21
Station Rd. N11—4F 23
Station Rd. N21—7B 16
Station Rd. N22—7J 23
Station Rd. NW7—5A 20
Station Rd. Barn & New Bar—4K 13
Station Rd. Wal A—2C 10
Steeds Rd. N10—7D 22
Steeplestone Clo. N18—4C 24
Sten Clo. Enf—5C 10
*Stephens Lodge. N12—2A 22*
*(off Woodside La.)*
Sterling Av. Wal X—2K 9
Sterling Rd. Enf—7D 8
Sterling Way. N18—4D 24
Stevens Clo. Pot B—1F 5
Stevenson Clo. Barn—6B 14
Steward Clo. Chesh—5J 3
Stewards Holte Wlk. N11—3F 23
Stewartsby Clo. N18—4C 24
Steynings Way. N12—4J 21
Stirling Corner. (Junct.)—5A 12
Stirling Corner. Borwd & Barn—5A 12
Stirling Rd. N17—7G 25
Stirling Rd. N22—7B 24
Stirling Way. Borwd—5A 12
Stockingswater La. Enf—1B 18
Stockton Clo. New Bar—3A 14
Stockton Gdns. N17—6C 24
Stockton Gdns. NW7—2A 20
Stockton Rd. N17—6C 24
Stockton Rd. N18—5G 25
Stockwell Clo. Chesh—3E 2
Stockwell La. Chesh—3E 2
(in two parts)
Stonard Rd. N13—2A 24
Stonecroft Clo. Barn—3D 12
Stone Hall Rd. N21—6K 15
Stoneham Rd. N11—4G 23
Stonehill Ct. E4—6D 18
Stonehorse Rd. Enf—4J 17
Stoneleigh Av. Enf—6H 9
Stoneleigh Clo. Wal X—1K 9
Stonycroft Clo. Enf—1A 18
Stonyshotts. Wal A—2G 11
Storksmead Rd. Edgw—6A 20
Stow Cres. E17—6A 26
Stowe Gdns. N9—7F 17
Strafford Ga. Pot B—1J 5
Strafford Rd. Barn—2G 13
Strand Pl. N18—3E 24
Stratfield Pk. Clo. N21—6B 16
Strathmore Gdns. N3—7K 21
Stratton Av. Enf—5D 8
Strawberry Ter. N10—7D 22
Strawberry Va. N2—7B 22
Strayfield Rd. Enf—4A 8
Streamside Clo. N9—7F 17
Strode Clo. N10—6E 22
Stuart Cres. N22—7K 23
Stuart Rd. E Barn—6C 14
Stuart Way. Chesh—6F 3
Studley Av. E4—6F 27
Sturge Av. E17—7D 26
Sturlas Way. Wal X—1K 9
Sudicamps Ct. Wal A—1J 11
Suez Rd. Enf—3A 18
**Suffield Hatch. —3E 26**
Suffield Rd. E4—2D 26
Suffolk Rd. Enf—4H 17
Summerfields Av. N12—5C 22
Summerhill Gro. Enf—5E 16
Summers La. N12—6B 22
Summers Row. N12—5C 22
Summerswood La. Borwd—2A 4
Summit Clo. N14—1G 23
Summit Way. N14—1F 23
Sunbury Ct. Barn—3G 13
Sunningdale. N14—4H 23
Sunnybank Rd. Pot B—1J 5
Sunnydale Gdns. NW7—5A 20
Sunnydene Av. E4—4F 27
Sunnyfield. NW7—3B 20
Sunny Gdns. Pde. NW4—7D 20
Sunny Gdns. Rd. NW4—7D 20
Sunny Rd., The. Enf—7K 9
Sunnyside Dri. E4—6E 18
Sunnyside Rd. E. N9—2G 25
Sunnyside Rd. N. N9—2F 25
Sunnyside Rd. S. N9—2F 25
Sunny Way. N12—6C 22
Sunrise Vw. NW7—5B 20
Sunset Av. E4—7D 18
Sunset Av. Wfd G—3H 27
Sunset Vw. Barn—1G 13
Sun St. Wal A—1E 10
Sussex Ring. N12—4J 21
Sussex Way. Barn & Cockf—4F 15
Sutherland Clo. Barn—3G 13
Sutherland Rd. N9—7H 17
Sutherland Rd. N17—6G 25
Sutherland Rd. Enf—5K 17
Sutton Cres. Barn—4F 13
Sutton Rd. E17—7K 25
Sutton Rd. N10—7E 22
Swaffham Way. N22—6B 24
Swaledale Clo. N11—5E 22
Swallow Ct. Enf—5J 9
Swanage Rd. E4—6E 26
Swan & Pike Rd. Enf—6C 10
Swan Clo. E17—7A 26
Swan Dri. NW9—7A 20
Swanfield Rd. Wal X—1A 10
Swanland Rd. S Mim & Hat—1D 4
Swan La. N20—2A 22
Swan Rd. Wal X—2A 10
Swans Ct. Wal X—2A 10
Swansea Rd. Enf—3J 17
Swansland Gdns. E17—7A 26
Swan Way. Enf—1K 17
Swaythling Clo. N18—3H 25
Sweet Briar Grn. N9—2F 25
Sweet Briar Gro. N9—2F 25
Sweet Briar Wlk. N18—3F 25
Sweets Way. N20—1B 22
Swift Clo. E17—6A 26
Sycamore Clo. N9—3G 25
Sycamore Clo. Barn—5B 14
Sycamore Clo. Chesh—1D 2
Sycamore Hill. N11—5E 22
Sydenham Av. N21—4K 15
Sydney Rd. N10—7E 22
Sydney Rd. Enf—2D 16
(in two parts)
Sydney Rd. Wfd G—3J 27
Sylvan Av. N3—7J 21
Sylvan Av. N22—6K 23
Sylvan Av. NW7—5A 20
Sylvan Ct. N12—2K 21
Sylvester Rd. N2—7A 22
Symonds Ct. Chesh—3H 3

Takeley Clo. Wal A—1F 11
Talbot Rd. N22—7G 23
Tamar Sq. Wfd G—5K 27
Tamworth Av. Wfd G—5G 27
Tanfield Clo. Chesh—2E 2
Tangmere Way. NW9—7A 20
Tanners End La. N18—3E 24
Taplow Rd. N13—3C 24
Tapster St. Barn—2H 13
Tariff Rd. N17—5G 25
Tarling Rd. N2—7A 22
Tarn Bank. Enf—4J 15
Tarpan Way. Brox & Turn—1K 3
Tash Pl. N11—4F 23
Tasmania Ter. N18—5C 24
Taunton Dri. Enf—2A 16
Taverners Way. E4—7G 19
Tavistock Pl. N14—6F 15
Taylor Clo. N17—6G 25
Taylors La. Barn—7H 5
Taylorsmead. NW7—4C 20
Taylor Ter. Chesh—2J 3
Tebworth Rd. N17—6F 25
Telford Rd. N11—4G 23
Tempest Av. Pot B—1B 6
Temple Av. N20—6B 14
Temple Clo. Chesh—6E 2
Temple Gdns. N13—1B 24
Temple Gro. Enf—1B 16
Temple Hall Ct. E4—1F 27
*Temple Pde. Barn—6B 14*
*(off Netherlands Rd.)*
Templeton Av. E4—3C 26
Tempsford Av. Borwd—3A 12
Tempsford Clo. Enf—2C 16
Tenby Rd. Enf—3J 17
Tennand Clo. Chesh—1D 2
Tenniswood Rd. Enf—7E 8
Tennyson Av. Wal A—2G 11
Tennyson Clo. Enf—4K 17
Tennyson Rd. NW7—4C 20
Tenterden Rd. N17—6F 25
Teresa Gdns. Wal X—2J 9
*Terrace, The. E4—2G 27*
*(off Newgate St.)*
Terrace, The. Wfd G—5J 27
Terrick Rd. N22—7J 23
Tewkesbury Ter. N11—5G 23
Teynham Av. Enf—5D 16
Teynton Ter. N17—7C 24
Thatcham Ct. N20—6A 14
Thatcham Gdns. N20—6A 14
Thaxted Way. Wal A—1F 11
Theobalds Av. N12—3A 22
Theobalds La. Chesh & Wal X—7G 3
Theobalds La. Wal X—7E 2
(in two parts)
Theobalds Pk. Rd. Enf—3B 8
Thetford Clo. N13—5B 24
Theydon Ct. Wal A—1J 11
Theydon Gro. Wfd G—5K 27
Third Av. Enf—4F 17
Thirleby Rd. Edgw—7A 20
Thirlestane Ct. N10—7E 22

Thirlmere Rd. N10 —7F 23
Thistley Clo. N12 —5C 22
Thomas Rochford Way.
Chesh & Wal X —1K 3
Thomas Watson Cottage Homes.
(off Leecroft Rd.) Barn—3G 13
Thompsons Clo. Chesh —4D 2
Thompson's La. Lou —6J 11
Thornaby Gdns. N18 —5G 25
Thorndene Av. N11 —7E 14
Thorneycroft Dri. Enf —5C 10
Thornfield Av. NW7 —7G 21
Thornfield Ct. NW7 —7G 21
Thornfield Pde. NW7 —6G 21
(off Holders Hill Rd.)
Thornley Clo. N17 —6G 25
Thornton Rd. N18 —2J 25
Thornton Rd. Barn —2G 13
Thorold Rd. N22 —6J 23
Thorpe Ct. Enf —2B 16
Thorpe Cres. E17 —7B 26
Thorpe Hall Rd. E17 —7E 26
Thorpe Rd. E17 —7E 26
Thurlestone Av. N12 —5D 22
Thurlow Clo. E4 —5D 26
Thyra Gro. N12 —5K 21
Tilekiln Clo. Chesh —4D 2
Tile Kiln La. N13 —4C 24
(in two parts)
Tillingham Ct. Wal A —1J 11
Tillingham Way. N12 —3J 21
Tillotson Rd. N9 —1F 25
Tilney Ct. Buck H —1J 27
Tilney Dri. Buck H —1J 27
Tilson Rd. N17 —7G 25
Timberdene. NW4 —7F 21
Tingeys Top La. Enf —4A 8
Tintern Gdns. N14 —6J 15
Tintern Rd. N22 —7C 24
Tippetts Clo. Enf —7C 8
Tiptree Clo. E4 —2E 26
Tiptree Dri. Enf —3D 16
Titchfield Rd. Enf —5A 10
Tithe Clo. NW7 —7C 20
Tithe Wlk. NW7 —7C 20
Titley Clo. E4 —4C 26
Tiverton Rd. N18 —4E 24
Toby Ct. N9 —6J 17
(off Tramway Av.)
Todhunter Ter. Barn —3J 13
Tollgate Rd. Wal X —3K 9
Tom Oakman Cen. E4 —1F 27
Topham Sq. N17 —7C 24
Top Ho. Ri. E4 —6E 18
Torrington Av. N12 —4B 22
Torrington Clo. N12 —3B 22
Torrington Gdns. N11 —5G 23
Torrington Gro. N12 —4C 22
Torrington Pk. N12 —4A 22
Totnes Vs. N11 —4G 23
(off Telford Rd.)
Tottenhall Rd. N13 —5A 24
Tottenham Hotspur F.C. —6G 25
Totteridge. —7H 13
Totteridge Comn. N20 —1C 20
Totteridge Grn. N20 —1J 21
Totteridge La. N20 —1J 21
Totteridge Rd. Enf —5K 9
Totteridge Village. N20 —7G 13
Tower Gdns. Rd. N17 —7C 24
Towgar Ct. N20 —6A 14
Townmead Rd. Wal A —2E 10
Town Rd. N9 —1H 25
Townsend Av. N14 —3H 23
Town, The. Enf —2D 16
Trade Clo. N13 —3A 24
Trafalgar Av. N17 —5E 24
Trafalgar Pl. N18 —4G 25
Trafalgar Trad. Est. Enf —3A 18
Tramway Av. N9 —6H 17
Tranmere Rd. N9 —6F 17
Travellers Site. E17 —5B 26
Travers Clo. E17 —7K 25
Tredegar Rd. N11 —6H 23
Tregenna Clo. N14 —4G 15
Trenchard Clo. NW9 —7A 20
Trent Gdns. N14 —5F 15
Trent Pk. (Country Pk.) —7F 7
Trent Pk. Golf Course. —2G 15
Trent Rd. Buck H —7K 19
Trentwood Side. Enf —2K 15
Tresilian Av. N21 —4K 15
Tretawn Gdns. NW7 —3A 20
Tretawn Pk. NW7 —3A 20
Trevera Ct. Enf —4A 18
Trevera Ct. Wal X —1A 10
(off Eleanor Rd.)
Treves Clo. N21 —4K 15
Trevor Clo. E Barn —5B 14
Trevor Rd. Wfd G —6J 27
Trevose Rd. E17 —7F 27
Triangle Pas. Barn —3A 14
Triangle, The. N13 —3K 23
Trinder Rd. Barn —4E 12
Trinity Av. Enf —5F 17
Trinity Bus. Pk. E4 —5B 26
Trinity Ct. Enf —1C 16
Trinity Ho. Wal X —7J 3
Trinity La. Wal X —7J 3
Trinity Rd. N22 —6J 23
(in two parts)
Trinity St. Enf —1C 16
Trinity Way. E4 —5B 26
Triumph Trad. Est. N17 —5G 25
Trotters Bottom. Barn —5C 4
Trott Rd. N10 —6D 22
Trulock Ct. N17 —6G 25
Trulock Rd. N17 —6G 25
Truro Rd. N22 —6J 23
Trust Rd. Wal X —2A 10
Tudor Av. Chesh —6E 2
Tudor Clo. NW7 —5C 20
Tudor Clo. Chesh —6F 3
Tudor Clo. Wfd G —4K 27
Tudor Ct. N22 —6J 23
Tudor Cres. Enf —7C 8
Tudor Pk. Golf Course. —1A 14
Tudor Rd. E4 —5D 26
Tudor Rd. N9 —6H 17
Tudor Rd. Barn —2J 13
Tudor Vs. Chesh —4C 2
(in two parts)
Tudor Way. N14 —7H 15
Tudor Way. Wal A —1F 11
Tuffnell Ct. Chesh —3H 3
(off Coopers Wlk.)
Tufton Rd. E4 —3C 26
Tulip Gdns. E4 —2F 27
Tuncombe Rd. N18 —3E 24
Tunnel Gdns. N11 —6G 23
Turin Rd. N9 —6J 17
Turkey Street. —5J 9
Turkey St. Enf —4G 9
(in two parts)
Turnberry Clo. NW4 —7F 21
Turner's Hill. Chesh & Wal X —4H 3
Turnford. —1J 3
Turnford Cotts. Turn —1K 3
Turnford Ct. Turn —1J 3
Turnford Vs. Turn —1K 3
Turnstone Clo. NW9 —7A 20
Turpin Clo. Enf —5C 10
Tuttlebee La. Buck H —1J 27
Tweedy Clo. Enf —4F 17
Twentyman Clo. Wfd G —4J 27
Twineham Grn. N12 —3J 21
Twinn Rd. NW7 —5G 21
Tyberry Rd. Enf —2H 17
Tyfield Clo. Chesh —5G 3
Tynemouth Dri. Enf —6G 9
Tysoe Av. Enf —4B 10

Uckfield Rd. Enf —5K 9
Ulleswater Rd. N14 —3J 23
Ulster Gdns. N13 —3C 24
Ulverston Rd. E17 —7F 27
Underhill. —4J 13
Underhill. Barn —4J 13
Underhill Ct. Barn —4J 13
Underne Av. N14 —1F 23
Underwood Rd. E4 —4D 26
Union Rd. N11 —5H 23
Union St. Barn —2G 13
Unity Rd. Enf —5J 9
University Clo. NW7 —6B 20
Updale Clo. Pot B —1G 5
Uphill Dri. NW7 —4A 20
Uphill Gro. NW7 —3A 20
Uphill Rd. NW7 —3A 20
Uplands Ct. N21 —6A 16
(off Green, The)
Uplands Pk. Rd. Enf —1A 16
Uplands Rd. E Barn —7E 14
Uplands Way. N21 —4A 16
Upper Edmonton. —4H 25
Up. Park Rd. N11 —4F 23
Upper Shott. Chesh —1D 2
Upsdell Av. N13 —5A 24
Upshire Rd. Wal A —1H 11
Upton Rd. N18 —4G 25
Upway. N12 —5C 22
Uvedale Rd. Enf —4D 16

Valance Av. E4 —7G 19
Vale Ct. New Bar —3K 13
Vale Dri. Barn —3H 13
Valence Dri. Chesh & Wal X —3E 2
Valeside Ct. Barn —3K 13
Vale, The. N10 —7E 22
Vale, The. N21 —5K 15
Vale, The. Wfd G —6J 27
Vallance Rd. N22 —7G 23
Valley Av. N12 —3B 22
Valley Fields Cres. Enf —1A 16
Valleylink Est. Enf —5A 18
Valley Side. E4 —1C 26
Valley Side Pde. E4 —1C 26
Valley Vw. Barn —5G 13
Valley Vw. G Oak —3A 2
Valognes Av. E17 —7A 26
Varney Clo. Chesh —2E 2
Veitch Rd. Wal A —2E 10
Ventnor Dri. N20 —2K 21
Vera Av. N21 —4A 16
Vermont Clo. Enf —3B 16
Vernon Av. Enf —4A 10
Vernon Av. Wfd G —6K 27
Vernon Cres. Barn —5E 14
Verwood Dri. Barn —2D 14
Viaduct Rd. N2 —7C 22
Vian Av. Enf —3A 10
Vicarage Ct. Wal A —2J 11
(off Horseshoe La.)
Vicarage Rd. N17 —7G 25
Vicars Clo. Enf —1E 16
Vicars Moor La. N21 —6A 16
Victoria Av. N3 —7H 21
Victoria Av. Barn —3B 14
Victoria Clo. Barn —3B 14
Victoria Gro. N12 —4B 22
Victoria La. Barn —3H 13
Victoria Rd. E4 —7G 19
Victoria Rd. N18 & N9 —3F 25
Victoria Rd. N22 —7G 23
Victoria Rd. NW7 —4B 20
Victoria Rd. Barn & New Bar —3B 14
Victoria Rd. Wal A —2E 10
Victors Way. Barn —2H 13
Victor Vs. N9 —2D 24
View Rd. Pot B —1A 6
Vigar Ct. Barn —2G 13
Viga Rd. N21 —5A 16
Village Arc. E4 —7F 19
Village Clo. E4 —4E 26
Village Heights. Wfd G —4H 27
Village Pk. Clo. Enf —5E 16
Village Rd. N3 —7G 21
Village Rd. Enf —4E 16
Vincent Clo. Barn —2K 13
Vincent Clo. Chesh —3J 3
Vincent Rd. E4 —5F 27
Vincent Rd. N22 —7A 24
Vincent Sq. N22 —7A 24
Vineries Bank. NW7 —4D 20
Vineries, The. N14 —5G 15
Vineries, The. Enf —2E 16
Vines Av. N3 —7K 21
Vineyard Av. NW7 —6G 21
Vineyard Gro. N3 —7K 21
Violet Av. Enf —6D 8
Violet Rd. E18 —7K 27
Viscount Clo. N11 —5F 23
Vista Av. Enf —1K 17
Vivian Ct. N12 —4K 21
Vulcan Ga. Enf —1A 16
Vyse Clo. Barn —3E 12

Wacketts. Chesh —2E 2
Waddington Clo. Enf —3E 16
Wade Ct. N10 —6F 23
Wade Ho. Enf —4D 16
Wades Gro. N21 —6A 16
Wades Hill. N21 —5A 16
Wadham Av. E17 —6D 26
Wadham Rd. E17 —6D 26
Wadsworth Clo. Enf —4K 17
Waggon La. N17 —5G 25
Waggon M. N14 —7G 15
Waggon Rd. Barn —5A 6
Wagon Rd. Barn —4J 5
Wagtail Clo. NW9 —7A 20
Wakefield Rd. N11 —4H 23
Wakefield St. N18 —4G 25
Wakefields Wlk. Chesh —6J 3
Walbrook Ho. N9 —1J 25
(off Huntingdon Rd.)
Walcot Rd. Enf —1B 18
Walden Av. N13 —3C 24
Walden Rd. N17 —7D 24
Walden Way. NW7 —5F 21
Walfield Av. N20 —6K 13
Walker Clo. N11 —3G 23
Walk, The. N13 —2A 24
(off Fox La.)
Wallman Pl. N22 —7K 23
Walmar Clo. Barn —7B 6
Walmer Clo. E4 —1D 26
Walmington Fold. N12 —5J 21
Walnut Gro. Enf —4D 16
Walnut Tree Clo. Chesh —6H 3
Walpole Rd. E18 —7H 27
Walpole Rd. N17 —7C 24
(in two parts)
Walpole Way. Barn —4E 12
Walsingham Ho. E4 —6F 19
Walsingham Rd. Enf —3D 16
Walters Rd. Enf —3J 17
Waltham Abbey. —1E 10
Waltham Abbey Church. —1E 10
(Remains of)
Waltham Cross. —2A 10
Waltham Gdns. Enf —4J 9
Waltham Ga. Chesh —1K 3
Waltham Pk. Way. E17 —7C 26
Walthamstow Av. E4 —5B 26
Walthamstow Greyhound
Stadium. —6D 26
Waltham Way. E4 —2B 26
Waltheof Av. N17 —7D 24
Waltheof Gdns. N17 —7D 24
Walton Ct. New Bar —4A 14
Walton Gdns. Wal A —1D 10
Walton Ho. E4 —4C 26
(off Chingford Mt. Rd.)
Walton St. Enf —7D 8
Wansbeck Ct. Enf —2B 16
(off Waverley Rd.)
Wansford Pk. Borwd —3A 12
Wansford Rd. Wfd G —7K 27
Warberry Rd. N22 —7K 23
Warboys Cres. E4 —4E 26
Warburton Ter. E17 —7D 26
Ward Clo. Chesh —2E 2
Wardell Clo. NW7 —6A 20
Wardell Fld. NW9 —7A 20
Warkworth Rd. N17 —6D 24
Warley Rd. N9 —1J 25
Warley Rd. Wfd G —6K 27
Warlow Clo. Enf —5C 10
Warners Clo. Wfd G —4J 27
Warners Path. Wfd G —4J 27
Warnham Rd. N12 —4C 22
Warren Clo. N9 —6K 17
Warren Cres. N9 —6F 17
Warrenfield Clo. Chesh —6E 2
Warren Pond Rd. E4 —7H 19
(in two parts)
Warren Rd. E4 —1E 26
Warren Way. NW7 —5G 21
Warwick Clo. Barn —4B 14
Warwick Ct. New Bar —4K 13
(off Station Rd.)
Warwick Dri. Chesh —3H 3
Warwick Gdns. Barn —6H 5
Warwick Rd. E4 —4C 26
Warwick Rd. E17 —7B 26
Warwick Rd. N11 —5H 23
Warwick Rd. N18 —3E 24
Warwick Rd. Barn —3K 13
Warwick Rd. Enf —5B 10
Washington Rd. E18 —7H 27
Wash La. S Mim —1D 4
Watercress Rd. Chesh —1B 2
Waterfall Clo. N14 —2G 23
Waterfall Rd. N11 & N14 —3F 23
Waterfall Wlk. N14 —2F 23
Waterhall Av. E4 —3G 27
Waterhall Clo. E17 —7K 25
Water La. N9 —7H 17

Watermead Way. N17—7H 25
Watermill Bus. Cen. Enf—1B 18
Watermill La. N18—4E 24
Wateville Rd. N17—7C 24
Watford Way. NW7 & NW4—3A 20
Watling Av. Edgw—6A 20
Watsons Rd. N22—7K 23
Wauthier Clo. N13—4B 24
Wavell Clo. Chesh—2J 3
Waverley Av. E4—3B 26
Waverley Clo. E18—7K 27
Waverley Ct. Enf—2C 16
Waverley Rd. E18—7K 27
Waverley Rd. N17—6H 25
Waverley Rd. Enf—2B 16
Wavertree Rd. E18—7J 27
Wayside. Pot B—1B 6
Wayside Clo. N14—5G 15
Weale Rd. E4—2F 27
Weardale Gdns. Enf—7D 8
Webster Clo. Wal A—1H 11
Weirdale Av. N20—1D 22
Weir Hall Av. N18—5D 24
Weir Hall Gdns. N18—4D 24
Weir Hall Rd. N18 & N17—4D 24
Welbeck Clo. N12—4B 22
Welbeck Rd. Barn—5C 14
Welbeck Vs. N21—1C 24
Weldon Ct. N21—4K 15
Weld Pl. N11—4F 23
(in two parts)
Well App. Barn—4E 12
Wellers Gro. Chesh—3E 2
Wellesley Cres. Pot B—1G 5
Wellesley Pk. M. Enf—1B 16
Wellesley Rd. N22—7A 24
Well Gro. N20—7A 14
Wellhouse La. Barn—3E 12
Wellington Av. E4—1C 26
Wellington Av. N9—2H 25
Wellington Hill. Lou—5J 11
Wellington Rd. Enf—4E 16
Well Rd. Barn—4E 12
Wells Clo. Chesh—1A 2
Wellside Clo. Barn—3E 12
Wellstead Av. N9—6K 17
Wells, The. N14—6H 15
Welsummer Way. Chesh—3H 3
Wendy Clo. Enf—5F 17
Wensley Av. Wfd G—6H 27
Wensley Rd. N18—5H 25
Wentworth Av. N3—6J 21
Wentworth Clo. N3—6K 21
Wentworth Gdns. N13—2B 24
Wentworth Pk. N3—6J 21
Wentworth Rd. Barn—2F 13
Wesley Clo. G Oak—3A 2
Wesley Rd. N2—7C 22
Wessex Ct. Barn—3F 13
West Av. N3—5J 21
West Bank. Enf—1C 16
Westbourne Pl. N9—2H 25
Westbrook Clo. Barn—2B 14
Westbrook Cres. Cockf—2B 14
Westbrook Sq. Barn—2B 14
Westbury Av. N22—7C 24
Westbury Gro. N12—5J 21
Westbury La. Buck H—1K 27
Westbury Rd. N11—5J 23
Westbury Rd. N12—5J 21
Westbury Rd. Buck H—1K 27
Westbury Rd. Chesh—5H 3
West Clo. N9—2F 25
West Clo. Barn—4D 12
West Clo. Cockf—3E 14
Westcombe Dri. Barn—4J 13
Westcroft Clo. Enf—6J 9
W. End La. Barn—3F 13
Westerham Av. N9—2D 24
Western Ct. N3—5J 21
Western Mans. New Bar—4K 13
(off Gt. North Rd.)
Western Pde. New Bar—4J 13
Western Way. Barn—5J 13
Westfield Clo. Enf—2A 18
Westfield Clo. Wal X—6K 3
Westfield Rd. NW7—2A 20
Westfield Wlk. Wal X—6K 3
Westgate Ct. Wal X—3K 9
W. Hill Way. N20—7K 13
Westlake Clo. N13—2A 24
Westlington Clo. NW7—5H 21
Westmeade Clo. Chesh—4F 3
West M. N17—6H 25
Westminster Ct. Chesh—1C 10
Westminster Dri. N13—4J 23
Westminster Gdns. E4—7G 19
Westminster Rd. N9—7H 17
Westmoor Gdns. Enf—1K 17
Westmoor Rd. Enf—1K 17
Westoe Rd. N9—1H 25
Weston Clo. Pot B—1H 5
Westonia Ct. Enf—4K 9
Weston Rd. Enf—1D 16
Westpole Av. Barn & Cockf—3E 14
West Rd. N2—7B 22
West Rd. N17—5H 25
West Rd. Barn—7E 14
West Side. NW4—7D 20
Westview Cres. N9—6E 16
West Wlk. E Barn—6E 14
Westward Rd. E4—4B 26
(in two parts)
Westway. N18—3D 24
Wetherby Rd. Enf—7C 8
Wetherill Rd. N10—7E 22
Weymarks, The. N17—5D 24
Weymouth Av. NW7—4A 20
Whaley Rd. Pot B—1A 6
Wharfdale Clo. N11—5E 22
Wharf Rd. Enf—5A 18
Wharf Rd. Ind. Est. Enf—5A 18
Wheatcroft. Chesh—3F 3
Wheatfields. Enf—7A 10
Wheatfields Ct. Wal A—2J 11
(off Farthingale La.)
Wheatley Clo. NW4—7C 20
Wheatley Gdns. N9—1E 24
Whetstone. —1A 22
Whetstone Clo. N20—1B 22
Whitbread Clo. N17—7G 25
White Acre. NW9—7A 20
Whitebeam Clo. Wal X—1C 2
Whitefields Rd. Chesh—3G 3
Whitefriars Ct. N12—4B 22
Whitehall Gdns. E4—7G 19
Whitehall La. Buck H—1J 27
Whitehall Rd. E4 & Wfd G—1G 27
Whitehall St. N17—6F 25
White Hart La. N22 & N17—7K 23
Whitehaven. Chesh—3C 2
Whitehead Clo. N18—4D 24
White Ho. Dri. Wfd G—5H 27
Whitehouse La. Enf—7C 8
White Ho., The. Chesh—3H 3
Whitehouse Way. N14—1F 23
White Orchards. N20—6H 13
Whitethorn Gdns. Enf—4D 16
Whitewebbs Golf Course. —4D 8
Whitewebbs La. Enf—3E 8
Whitewebbs Mus. of Transport & Industry, The. —3B 8
Whitewebbs Pk. —4C 8
Whitewebbs Rd. Enf—3B 8
Whit Hern Ct. Chesh—5G 3
Whitings Rd. Barn—4E 12
Whitley Rd. N17—7E 24
Whitmore Clo. N11—4F 23
Whittingham. N17—6H 25
Whittington M. N12—3A 22
(off Fredericks Pl.)
Whittington Rd. N22—6J 23
Wickham Clo. Enf—2H 17
Wickham Rd. E4—6E 26
Wiggins Mead. NW9—6B 20
Wigston Clo. N18—4E 24
Wigton Rd. E17—7B 26
Wilbury Way. N18—4D 24
Wilde Pl. N13—5B 24
Wild Marsh Ct. Enf—5A 10
(off Manly Dixon Dri.)
Wilford Clo. Enf—2D 16
Wilkinson Clo. Chesh—1A 2
Willenhall Av. New Bar—5A 14
Willenhall Ct. New Bar—5A 14
William Covell Clo. Enf—6K 7
Williams Av. E17—7B 26
Williams Gro. N22—7A 24
Williamson Way. NW7—5G 21
William St. N17—6F 25
Willinghall Clo. Wal A—1F 11
Willoughby Gro. N17—6H 25
Willoughby La. N17—5H 25
Willoughby Pk. Rd. N17—6H 25
(in two parts)
Willow Clo. Chesh—1C 2
Willowdene. Chesh—2J 3
Willowdene Ct. N20—6A 14
(off High Rd.)
Willow Dri. Barn—3G 13
Willow End. N20—1J 21
Willow Grn. NW9—7A 20
Willow Path. Wal A—2G 11
Willow Rd. Enf—2E 16
Willowside Ct. Enf—2B 16
Willow St. E4—6F 19
Willow Wlk. N21—5K 15
Willow Way. N3—6K 21
Willow Way. Pot B—1K 5
Wills Gro. NW7—4C 20
(in two parts)
Wilmer Way. N14—4H 23
Wilmot Clo. N2—7A 22
Wilson St. N21—6A 16
Wilton Rd. N10—7E 22
Wilton Rd. Cockf—3D 14
(in two parts)
Wiltshire Clo. NW7—4B 20
Wimborne Clo. Buck H—1K 27
Wimborne Rd. N9—1G 25
Wimborne Rd. N17—7E 24
Wincanton Ct. N11—5E 22
(off Martock Gdns.)
Winchester Clo. Enf—4E 16
Winchester Rd. E4—6E 26
Winchester Rd. N9—7F 17
Winchmore Hill. —6A 16
Winchmore Hill Rd. N14 & N21—7H 15
Winchmore Vs. N21—6K 15
(off Winchmore Hill Rd.)
Windermere Ho. New Bar—3K 13
Windermere Rd. N10—7F 23
Windmill Clo. Wal A—2G 11
Windmill Gdns. Enf—2A 16
Windmill Hill. Enf—2B 16
Windmill La. Barn—5B 12
Windmill La. Chesh & Wal X—5J 3
Windmill Rd. N18—3D 24
Windrush Clo. N17—7E 24
Windsor Av. E17—7A 26
Windsor Clo. Chesh—5E 2
Windsor Ct. N12—4D 22
Windsor Ct. N14—6G 15
Windsor Dri. Barn—5D 14
Windsor Rd. E4—3D 26
Windsor Rd. N13—2A 24
Windsor Rd. Barn—5F 13
Windsor Rd. Enf—4K 9
Windsor Wood. Wal A—1G 11
Windward Clo. Enf—3K 9
Wingate Trad. Est. N17—6G 25
Wingrove. E4—6C 18
Winifred Pl. N12—4A 22
Winifred Ter. Enf—6F 17
Winkfield Rd. N22—7A 24
Winnington Rd. Enf—6J 9
Winsford Ter. N18—4D 24
Winslow Gro. E4—1G 27
Winsmoor Ct. Enf—2B 16
Winston Churchill Way. Wal X—1J 9
Winston Way. Pot B—1J 5
Winterburn Clo. N11—5E 22
Winter's Ct. E4—2D 26
Winterstoke Gdns. NW7—4C 20
Winters Way. Wal A—1J 11
Winton Av. N11—6G 23
Winton Clo. N9—6K 17
Winton Dri. Chesh—4J 3
Wise La. NW7—4C 20
Wisham Wlk. N13—5J 23
Wisteria Clo. NW7—4B 20
Wisteria Dri. NW7—5B 20
Wisteria Gdns. Wfd G—4J 27
Withers Mead. NW9—7B 20
Withy Mead. E4—2F 27
Wittenham Way. E4—2F 27
Wolseley Rd. N22—7K 23
Wolsey Av. Chesh—4D 2
Wolsey Rd. Enf—1H 17
Wolstonbury. N12—4J 21
Wolverton Way. N14—4G 15
Wolves La. N22 & N13—6A 24
Woodall Ho. N22—7A 24
Woodall Rd. Enf—5K 17
Woodberry Av. N21—1A 24
Woodberry Gdns. N12—5A 22
Woodberry Gro. N12—5A 22
Woodberry Way. E4—6E 18
Woodberry Way. N12—5A 22
Woodbine Gro. Enf—6D 8
Woodbrook Gdns. Wal A—1G 11
Woodcote Av. NW7—5E 20
Woodcote Clo. Chesh—5G 3
Woodcote Clo. Enf—5J 17
Woodcroft. N21—7A 16
Woodcroft Av. NW7—5A 20
Woodedge Clo. E4—7H 19
Woodend Gdns. Enf—3J 15
Woodend Rd. E17—7E 26
Woodfall Av. Barn—4H 13
Woodfield Clo. Enf—3E 16
Woodfield Dri. E Barn—7E 14
Woodfield Way. N11—6H 23
Woodford. —5K 27
Woodford Ct. Wal A—1J 11
Woodford Green. —5J 27
Woodford Hall Path. E18—7H 27
Woodford New Rd. E17 & E18—7G 27
Woodford Side. —4H 27
Woodford Wells. —2K 27
Woodgate Av. N'thaw—1F 7
Woodgrange Av. N12—5B 22
Woodgrange Av. Enf—5G 17
Woodgrange Gdns. Enf—5G 17
Woodgrange Ter. Enf—5G 17
Wood Green. —7K 23
(Hornsey)
Wood Green. —2K 11
(Waltham Abbey)
Woodgreen Rd. Wal A—1K 11
Wood Grn. Way. Chesh—6J 3
Woodhouse Rd. N12—5B 22
Woodland Clo. Wfd G—2K 27
Woodland Rd. E4—7E 18
Woodland Rd. N11—4F 23
Woodlands Av. N3—6A 22
Woodlands Rd. N9—7J 17
Woodlands Rd. Enf—6D 8
Woodlands, The. N12—5A 22
Woodlands, The. N14—7F 15
Woodland Way. N21—1A 24
Woodland Way. NW7—5A 20
Woodland Way. Wfd G—2K 27
Wood La. Wfd G—3H 27
Woodleigh. E18—7J 27
Woodleigh Av. N12—5C 22
Woodman La. E4—4G 19
Wood Mead. N17—5G 25
Woodmere Ct. N14—6F 15
Woodpecker Clo. N9—5H 17
Wood Ride. Barn—7B 6
Woodridge Clo. Enf—7A 8
Woodridings Ct. N22—7H 23
Woodrow Ct. N17—6H 25
Woodside. Buck H—1K 27
Woodside. Chesh—6E 2
Woodside Av. N12—3A 22
Woodside Ct. N12—3K 21
Woodside Gdns. E4—5D 26
Woodside Grange. N12—3J 21
Woodside Grange Rd. N12—3K 21
Woodside Gro. N12—2A 22
Woodside La. N12—2A 22
Woodside Park. —3J 21
Woodside Pk. Rd. N12—3K 21
Woodside Rd. N22—6K 23
Woodside Rd. Wfd G—3J 27
Woodstock Cres. N9—5H 17
Woodstock Rd. E17—7F 27
Wood St. Barn—3F 13
Woodtree Clo. NW4—7F 21
Woodview Av. E4—3E 26
Woodville Rd. Barn & New Bar—2K 13
Woollard St. Wal A—2E 10
Woolmer Gdns. N18—4G 25
Woolmer Rd. N18—4G 25
Woolston Clo. E17—7K 25
Wootton Gro. N3—7J 21
Worcester Av. N17—6G 25
Worcester Ct. N12—4K 21
Worcester Cres. NW7—2A 20
Worcester Cres. Wfd G—3K 27
Worcester Rd. E17—7K 25
Worcesters Av. Enf—6G 9
World's End. —2K 15
World's End La. N21 & Enf—4K 15
Wormley Ct. Wal A—1J 11
Wormyngford Ct. Wal A—1J 11
Wrampling Pl. N9—7G 17
Wrangley Ct. Wal A—1J 11
Wren Clo. N9—7K 17

Wren Dri. *Wal A* —2J **11**
Wrigley Clo. *E4* —4F **27**
Wrotham Pk. —4H **5**
Wrotham Rd. *Barn* —1G **13**
Wroxham Gdns. *N11* —6H **23**
Wroxham Gdns. *Enf* —3B **8**
Wulstan Pk. *Pot B* —1B **6**
Wyburn Av. *Barn* —2H **13**
Wycherley Cres. *New Bar* —5K **13**
Wycombe Rd. *N17* —7G **25**
Wyemead Cres. *E4* —1G **27**
*Wykeham Ct. N11 —1E 22*
*(off Wykeham Rd.)*
Wykeham Ri. *N20* —7G **13**
Wyldfield Gdns. *N9* —1F **25**
Wylo Dri. *Barn* —5C **12**
Wynaud Ct. *N22* —5K **23**
Wynchgate. *N14 & N21* —7H **15**
Wyndcroft Clo. *Enf* —2B **16**
Wyndham Rd. *Barn* —7D **14**
Wynndale Rd. *E18* —7K **27**

Yardley Clo. *E4* —4D **18**
Yardley La. *E4* —4D **18**
*Yarlington Ct. N11 —4E 22*
*(off Sparkford Gdns.)*
Yeomans Way. *Enf* —1J **17**
Yew Clo. *Chesh* —2C **2**
Yews Av. *Enf* —4H **9**
Yew Tree Clo. *N21* —6A **16**
Yewtree Clo. *N22* —7G **23**
York Ct. *N14* —2J **23**
York Cres. *Borwd* —1A **12**
York Ga. *N14* —6J **15**
York Ho. *Enf* —7D **8**
York Rd. *E4* —3C **26**
(in two parts)
York Rd. *N11* —5H **23**
York Rd. *N18* —5H **25**
York Rd. *N21* —6D **16**
York Rd. *New Bar* —4A **14**
York Rd. *Wal X* —1A **10**
Yorkshire Gdns. *N18* —4H **25**
York Ter. *Enf* —6C **8**
York Way. *N20* —2D **22**
Youngmans Clo. *Enf* —7C **8**

Zenith Lodge. *N3* —6K **21**